D0626017

APRÈS LA MOISSON

Derniers romans parus dans la collection Nous Deux :

LE CAVALIER NOIR
par Marcella THUM

MIRAGES D'ETE
par Jill TATTERSALL

CHAGRIN MORTEL
par Patricia POWER

LA DAME DU MANOIR
par Rosalind LAKER

RUMEUR
par Jean Francis WEBB

L'OISEAU REBELLE
par Marjorie CURTIS

LA MAISON DU BANDIT
par Estelle THOMPSON

INDOMPTABLE FELICITY
par Sheila WALSH

LA CHAINE BRISEE

LA ROUTE DU NORD
par Daoma WINSTON

POURSUITE A DELPHES
par Janice M. BENNETT

JEUX DE SCENE
par Jean URE

VOL SANS RETOUR
par Patricia MOYES

MARS OU DECEMBRE
par Marcella THUM

UNE GOUTTE DE SAPHIR
par Constance MILBURN

UN ETRANGER SUR LA ROUTE
par Constance MILBURN

A paraître prochainement :

ALERTE AU CAP D'ARGENT
par Elisabeth OGILVIE

Lillie HOLLAND

APRÈS LA MOISSON

(*After the Harvest*)

Traduit de l'anglais
par M.-N. Tranchart

LES EDITIONS MONDIALES
2, rue des Italiens — PARIS-9ᵉ

ISBN N° 2-7074-1401-8

CHAPITRE PREMIER

Je m'assis dans la cuisine du moulin et dépliai la lettre d'Henry Tregarth sur la table de bois blanc. L'année avait mal commencé pour moi et cette missive représentait encore un choc.

Je n'avais jamais aperçu le « Jeune Châtelain », comme l'appelaient les villageois, pas plus que je n'avais rencontré son oncle, le « Vieux Châtelain ». Celui-ci, qui venait de mourir, n'était pas descendu au village depuis de nombreuses années. Pourtant son domaine se trouvait seulement distant d'environ trois kilomètres. Les gens chuchotaient que ce domaine portait malheur, et que les Tregarth n'avaient jamais eu beaucoup de chance.

Avec amertume, je relus la lettre :

Chère Mademoiselle Mountjoy,

« *Votre famille a habité le moulin pendant de nombreuses années, sans le faire tourner depuis près de vingt ans, et j'ai l'intention de le louer à un meunier chargé de l'exploiter. J'ai été désolé d'apprendre la mort récente de votre grand-mère, que je ne voulais pas ennuyer avec ces problèmes. Selon*

*la coutume, je vous demande de bien vouloir libé-
rer les lieux après la moisson... »*

Cette lettre était signée *Henry Tregarth*. J'avais
entendu dire qu'il avait l'intention de reprendre
sérieusement en mains le domaine négligé par son
vieil oncle. Mais j'étais loin d'imaginer que je serais
l'une des premières victimes de cette réorganisa-
tion !

J'allai appuyer mon front à la fenêtre. Des larmes brouil'èrent mes yeux à la pensée que ma grand-
mère ne verrait plus les jonquilles qui parsemaient
les talus du jardin. Elle était morte deux mois
auparavant et je n'avais pas encore réussi à surmonter mon chagrin.

Pourtant, je l'avais quittée pendant deux ans,
suivant le désir de ma mère qui m'avait fait promettre, sur son lit de mort, que je deviendrais
gouvernante... J'avais été employée à Londres et ne
le regrettais pas, car j'avais pu élargir mon horizon
et mes connaissances en vivant ailleurs qu'au moulin. C'était maman qui s'était chargée de mon éducation : elle avait été elle-même gouvernante, puis
institutrice à l'école du village. Elle m'avait trans-
mis tout son savoir et même plus, car elle avait tenu
à ce que j'apprenne aussi le français et le piano.

Ma grand-mère m'avait incitée à partir, et c'était
seulement quand j'avais appris par une lettre de
Mollie, sa vieille amie, que sa santé déclinait chaque jour un peu p'us que j'étais revenue au moulin.

Trois mois plus tard, ma grand-mère mourait
et je me retrouvais seule au monde. Je n'avais plus
de situation car mes employeurs londoniens avaient

été obligés de me remplacer... Heureusement, Mollie, dont le cottage était tout proche du moulin, m'avait amicalement aidée à surmonter ces moments difficiles.

C'était une femme au chignon blanc et au nez crochu qui avait un peu l'apparence d'une sorcière. Elle faisait peur aux enfants mais, en réalité, elle avait un cœur d'or et je savais pouvoir compter sur elle en toutes circonstances.

J'essuyai mes larmes et me mordis les lèvres. Qu'allais-je devenir ? Sans travail, sans foyer... Presque sans argent !

J'eus un frisson et ramenai autour de moi les pans de mon châle noir. J'étais en grand deuil, quoique ma grand-mère, peu avant sa mort, m'ait conseillé de ne pas respecter les coutumes. Elle m'avait également dit, ce qui m'avait sur le moment semblé bizarre :

— Tu as été une bonne fille... Une bonne fille !

Puis, peu avant de s'éteindre, elle avait murmuré avec angoisse :

— Dans la terre non consacrée... Comme un chien !

Tout cela était assez mystérieux, mais je n'avais pas le temps de m'appesantir sur ces quelques phrases étranges. Après avoir ôté mon tablier, je quittai la maison dont je fermai soigneusement la porte à l'aide de l'énorme clé polie par l'usage.

Barrie, le grand chien noir aux yeux dorés que j'avais connu depuis mon enfance, et qui passait ses journées devant le moulin, se leva et m'emboîta le pas en remuant la queue.

Dès qu'elle me vit arriver, Mollie apparut à la porte de son cottage.

— J'étais sûre que vous viendriez me voir, Clara ! lança-t-elle en guise de bienvenue.

Sa maison était construite au bord de la rivière. Un jardin débordant de fleurs et de plantes de toutes sortes l'entourait, et un saule pleureur se mirait mélancoliquement dans l'eau. Le courant emportait toujours dans le même sens l'extrémité de ses branches flexibles.

— Vous semblez hors de vous, Clara ! s'étonna Mollie.

— J'ai reçu une lettre du Jeune Châtelain ! Figurez-vous qu'il veut que je quitte le moulin après la moisson pour y installer un meunier ! Que vais-je faire ? Chercher un poste de gouvernante, mais cela signifiera que je n'aurai plus de maison... Où irai-je si l'on m'octroie par hasard quelques jours de vacances ?

— Vous pourrez toujours venir ici, déclara Mollie avec un sourire. Ce cottage est beaucoup plus vaste qu'il ne semble, vu de l'extérieur ! Je pourrais mettre deux pièces à votre disposition, si vous le désirez.

— Vous êtes gentille, Mollie. Merci...

En réalité, je ne souhaitais pas accepter sa proposition, même provisoirement. C'était une vraie maison, une maison à moi que je voulais. Pas une pièce ou deux chez quelqu'un d'autre !

— Jamais le Vieux Châtelain ne m'aurait mise

à la porte ! lançai-je avec ressentiment. Il ne faisait pas de peine aux gens, lui !

— Il ne se souciait de rien, ma pauvre Clara !

Là-dessus, Mollie se mit à parler de sa toiture qui laissait s'infiltrer les averses, ainsi que des multiples réparations qui étaient à faire dans son cottage.

— Et c'est la même chose partout au village ! acheva-t-elle. Heureusement, le Jeune Châtelain semble vouloir s'occuper du domaine !

Elle fronça les sourcils et agita sa main tavelée de taches brunes.

— D'ailleurs, vous ne pouvez pas vivre seule, conclut-elle, revenant ainsi au point de départ de notre conversation.

— Pourquoi pas ? Vous vivez bien seule, Mollie ! Et ma grand-mère vivait seule aussi...

— Je suis âgée, voyons ! Cela n'a rien à voir... Il n'est pas raisonnable qu'une jeune fille habite une maison isolée ! Les jeunes gens ne tarderont pas à errer autour du moulin quand ils sauront qu'ils n'y trouveront que vous !

— Barrie leur fera une jolie réception ! De toute façon, je me moque bien des hommes pour l'instant ! Il faut que je trouve du travail...

Mollie hocha la tête d'un air compréhensif. Nous nous assîmes et continuâmes à bavarder.

— J'ai bien envie d'aller voir le Jeune Châtelain moi-même ! dis-je soudain. Pourquoi me traite-t-il aussi durement ?

— C'est le Châtelain, Clara ! murmura Mollie d'un air fataliste.

Elle avait toujours vécu au village et les décisions des Tregarth étaient pour elle paroles d'Evangile. Mais moi qui connaissais la capitale et qui avais un peu voyagé, je réagissais différemment...

— Je vais aller le voir, répétai-je.

— Vous n'oserez jamais.

— Qu'ai-je à perdre ?

Mollie me regarda avec admiration.

— Votre grand-mère serait fière de vous, Clara !

Je me rappelai soudain les dernières paroles de ma grand-mère et les confiai à Mollie.

— « Dans la terre non consacrée... Comme un chien », qu'a-t-elle bien pu vouloir dire, Mollie ?

— Elle ne devait plus avoir sa tête à elle, déclara sèchement Mollie qui se leva en disant qu'elle se sentait un peu fatiguée.

Je compris qu'elle ne souhaitait pas bavarder plus longtemps et je la quittai, Barrie sur les talons.

De retour au moulin, je m'emparai de la clé qui ouvrait les bâtiments réservés à l'exploitation. Je n'avais pas mis les pieds dans le moulin proprement dit depuis des années, et il me semblait étonnant de penser qu'il pouvait fonctionner à nouveau.

Je ne l'avais jamais vu tourner. Les Mountjoy avaient été meuniers de père en fils, mais mon père était mort peu avant ma naissance.

Il avait épousé ma mère — qui était d'un milieu social différent —, en dépit de l'interdiction des parents de celle-ci. Il s'en était suivi une brouille et j'ignorais tout de mes grands-parents maternels.

La vie au moulin, entre ma mère et ma grand-mère, avait été une succession de petites joies et de douceur de vivre...

Maman, ainsi que je l'ai déjà dit, était institutrice à l'école du village, et ma grand-mère s'occupait de moi pendant qu'elle travaillait.

Ma mère m'avait instruite à la maison, et je n'avais eu que très peu de contacts avec les enfants du village, qui se trouvait situé à une certaine distance du moulin.

Puis mon départ pour Londres en qualité de gouvernante avait accru le fossé qui existait entre les villageois et moi-même. Nous n'avions pas grand-chose en commun et ils ne me considéraient pas comme étant des leurs.

Cela était dû à l'instruction dont j'avais eu la chance de bénéficier, ainsi qu'au fait que j'avais vécu à Londres. Je n'avais rien contre les villageois, naturellement, cependant l'idée d'épouser l'un de ces solides garçons me semblait invraisemblable...

Ma mère avait-elle songé à cela de son côté ? Et était-ce pour cette raison qu'elle avait tant insisté pour que je devienne gouvernante dans une bonne famille ?

J'eus un soupir en récapitulant une fois de plus les ennuis qui m'assaillaient de toutes parts : je n'avais presque pas d'argent, plus de maison, pas de parents... De plus, je n'étais pas vraiment une brave villageoise, mais pourtant, je n'étais rien d'autre que la fille d'un meunier.

A pas lents, je me dirigeai vers le moulin. Lorsque j'étais enfant, cet endroit m'effrayait toujours...

La grande roue était couverte de mousses et d'herbes folles. On aurait cru que cette végétation l'immobilisait à jamais. Pourtant, une fois nettoyée, elle tournerait sans effort dans l'eau glauque aux reflets verdâtres.

Un restant de mes terreurs enfantines m'assaillit quand j'introduisis la clé dans la serrure rouillée.

— Puis-je vous aider ? demanda une voix masculine.

Je sursautai, tandis que Barrie se mettait à aboyer. En me retournant, je vis qu'il s'agissait simplement du bourrelier du village, un homme d'une cinquantaine d'années au visage rubicond et à l'embonpoint mal contenu par un gilet trop étroit.

— Je passais par là, expliqua-t-il vaguement.

Après une légère hésitation, il ajouta :

— Mademoiselle...

Barrie gronda tandis qu'il s'approchait. Il me prit la clé des mains.

— Je me demande si la serrure fonctionne encore, dis-je. Cette porte n'a pas été ouverte depuis de longues années...

Il pesa de toutes ses forces et dans un craquement sinistre, la clé tourna enfin. Alors il poussa la porte qui, grinçant lugubrement, découvrit l'intérieur du moulin : une vaste salle sombre, abandonnée...

— Quelle odeur de moisi et d'humidité ! s'exclama le bourrelier avec dégoût.

D'épaisses toiles d'araignées pendaient aux

poutres, et il y avait des trous de souris au ras des murs.

— Les rats ont dû manger les derniers grains il y a longtemps ! s'exclama le villageois avec un gros rire.

Les vitres étaient également obscurcies de toiles d'araignées poussiéreuses. Il fallait un certain temps avant de s'habituer à la pénombre qui régnait dans ces pièces où nul n'avait pénétré depuis tant d'années.

— Je me demande dans quel état est le grenier, murmurai-je comme pour moi seule.

— Oh, n'essayez pas de monter là-haut, mademoiselle ! s'exclama le bourrelier. Les marches risquent d'être vermoulues... Et je ne voudrais pas vous voir passer au travers du plancher !

— Ils vont avoir de quoi faire...

— Que voulez-vous dire ? demandai-je sèchement.

— On raconte que le Jeune Châtelain veut mettre un meunier ici... Est-ce vrai ?

A quoi bon cacher ce que je savais ? Ce n'était pas un mystère...

— Oui, c'est vrai.

— Qu'allez-vous donc devenir ? demanda-t-il gentiment.

— Je n'en sais rien. J'ai le temps de prendre une décision puisque le Jeune Châtelain me laisse jusqu'après la moisson...

Brusquement, j'eus envie de pleurer et ce fut à grand-peine que je refoulai mes larmes.

— Si vous vous sentez seule, dit le bourrelier

avec une certaine timidité, n'hésitez pas à venir à la maison. Ma femme serait très contente de vous recevoir, ainsi que ma fille Cathy.

— Je vous remercie...

Je ne tardai pas à prendre congé de ce brave homme et regagnai la cuisine. Je me souvenais de Cathy avec laquelle j'avais joué quelquefois étant enfant... C'était alors une jolie petite fille, de quelques mois ma cadette.

Après avoir refermé la porte, je jetai un coup d'œil critique à cette pièce dans laquelle nous avions pris l'habitude de nous tenir. Ma grand-mère avait négligé beaucoup de choses ces derniers temps, car sa santé ne lui permettait plus d'entretenir cette maison relativement grande...

J'avais changé les rideaux, j'avais fait de mon mieux pour tenter de rendre cette pièce un peu plus riante, mais mes efforts étaient loin d'être couronnés de succès ! Il y avait des trous dans le plâtre, plusieurs vitres brisées avaient été remplacées par du carton, et un volet s'était décroché.

Je me rendis ensuite au salon. Une photographie pâlie couleur sépia pendait au mur : elle représentait mon père dans son meilleur costume. Il y avait un renard empaillé sous un globe de verre, deux fauteuils de cuir, et un tapis complètement usé. Une petite table et une boîte à ouvrages complétaient ce misérable ameub'ement.

La salle à manger, ainsi que les chambres qui se trouvaient à l'étage n'étaient pas décorées plus luxueusement...

Je contemplai la photographie de mon père.

Maman m'avait souvent dit qu'il était un très bel homme, et cette photographie en était la preuve. Je ne lui ressemblais guère... J'étais aussi brune qu'il était blond, et mes yeux, qu'on aurait pu s'attendre à trouver foncés comme mes cheveux, étaient d'un bleu-violet intense, très différent des prunelles noisette de ma mère.

Un peu plus tard, je pris un livre que j'avais acheté à Londres et tâchai de le lire. Mais les inquiétudes qui m'avaient assaillie depuis que j'avais reçu la lettre du Jeune Châtelain me revinrent à l'esprit...

Je me souvins que j'avais dit à Mollie que j'avais l'intention d'aller le voir... Sur l'instant, j'avais parlé en plaisantant, et puis la possibilité d'une telle visite ne m'était pas apparue aussi insensée.

Pourquoi ne me rendrais-je pas au château afin de dire à Henry Tregarth ce que je pensais de lui et de ses procédés ?

Je risquais de le mettre en colère, mais c'était bien le cadet de mes soucis : ne m'avait-il pas plongée dans une situation impossible ?

Je n'étais jamais allée au château dont je ne connaissais que la grille, à partir de laquelle s'incurvait une large allée sablée bordée d'arbres. On ne voyait pas le bâtiment, qui se trouvait dissimulé par les bosquets du parc.

Si j'allais là-bas, et que le Jeune Châtelain se trouve justement absent ? Ou bien s'il refusait de me recevoir ? Ou encore si...

J'étais toujours plongée dans mes pensées quand le crépuscule tomba. Je m'emparai d'une lampe et sans même songer à dîner, je me dirigeai vers ma chambre, suivie par Barrie qui avait pris l'habitude de dormir au pied de mon lit.

Quand il s'affala sur la descente de lit avec un soupir de bien-être, je me sentis soudain apaisée et en sécurité.

*
**

Le lendemain matin, je partis pour le château. Il avait plu dans la nuit, mais maintenant le soleil brillait sur les jeunes pousses. Les oiseaux chantaient, et des fleurs printanières, primevères et coucous, pointaient dans l'herbe tendre.

Tout en marchant, je me demandais ce que j'allais bien pouvoir dire... J'aurais souhaité rester au moulin, ce qui signifiait que j'avais besoin d'argent pour en payer le loyer. Je devais donc repartir auprès d'une famille comme gouvernante...

Après avoir traversé le village, j'empruntai une route étroite bordée de talus. Je ne cessais d'évoquer mes soucis, si bien que je ne remarquais même pas combien la nature était belle en cette matinée de printemps.

Bientôt, l'été arriverait. Puis ce serait l'époque de la moisson...

Après la moisson, que deviendrais-je ?

Derrière moi, les fers d'un cheval résonnèrent sur les pavés de la route. Il y eut un son de grelots et je me retournai pour voir une voiture approcher.

Elle s'arrêta à ma hauteur. Sur le banc surélevé se tenaient un homme d'une quarantaine d'années accompagnée par sa femme qui avait visiblement sorti ses plus beaux atours.

— Allez-vous au marché de Chollerford ? me demanda-t-elle avec affabilité. Nous pouvons vous y emmener !

— Je ne vais pas jusque là, mais si vous pouvez me déposer au prochain carrefour, cela me rendrait service.

— Montez donc !

Je ne me fis pas prier et grimpai dans le cabriolet. Le fermier fouetta le cheval et nous partîmes au petit trot.

— Avez-vous un long trajet à faire ? s'enquit la fermière en me détaillant d'un œil brillant de curiosité.

— Je me rends au château Tregarth.

Je regrettai immédiatement d'avoir parlé sans réfléchir. Qu'avais-je besoin de dire cela à ces inconnus ?

— Ah ! il paraît que les choses vont changer là-bas maintenant que le Jeune Châtelain a hérité de son oncle ! Celui-ci laissait tout aller à vau-l'eau ! J'ai entendu dire que le Jeune Châtelain était veuf, est-ce exact ?

— Je l'ignore, répondis-je.

— Il paraît qu'il vivait à l'étranger... Sa femme est morte alors qu'ils se trouvaient sur le continent et le voilà seul avec une petite fille... Le Vieux Châtelain lui-même n'avait pas d'enfants, à l'exception d'un fils qui est mort à vingt ans.

— On dit que les Tregarth n'ont pas de chance..., murmurai-je.

— Le château est hanté ! Si, si, on me l'a
assuré : il y a un fantôme qui sanglote dans les
chambres... Est-ce vrai ou non, qui le saura ?

La fermière continuait à bavarder, ou plutôt à
relater les on-dit qui se transmettent dans les villa-
ges avec la rapidité de l'éclair.

— Le fils du Vieux Châte'ain aurait épousé
une étrangère contre la volonté de son père ! C'était
depuis que le vieux Tregarth s'était enfermé au
château en refusant de voir qui que ce soit...

— Je ne l'ai jamais aperçu au village, déclarai-
je. Dans les dernières années de sa vie, il ne quittait
plus le domaine...

— Cela ne fera pas de mal à la région d'avoir
enfin un châtelain prenant les choses en mains !

Cette femme était une incorrigible commère, et
je fus heureuse quand son mari reprit les rênes pour
arrêter le cheval à l'approche du carrefour.

Je les remerciai et agitai la main jusqu'à ce que
la voiture disparaisse en direction de Chollerford.

Un mur qui me parut gigantesque était construit
d'un côté de la route. Je savais que derrière ce mur,
il y avait le château au milieu d'un grand parc...

Mon cœur se mit à battre quand j'aperçus la
haute grille fraîchement repeinte. Une jeune femme
sortit de la maison du gardien et vint à ma rencontre d'un pas lent, tout en tenant une conversation
avec le bébé gazouillant qu'elle tenait dans ses
bras.

— Bonjour, lui-dis-je. J'ai rendez-vous avec
monsieur Tregarth.

— Bonjour, mademoiselle, se contenta-t-elle de

répondre, en m'ouvrant une petite porte ménagée dans l'une des grilles.

Devant moi s'allongeait la grande allée que j'empruntai en me forçant à prendre un air dégagé. Je me retournai une fois pour voir la gardienne me suivre des yeux avec avidité, et je fus heureuse quand la courbe de l'allée me dissimula à son regard.

Le château était devant moi, me dominant de toute sa masse imposante. C'était un vaste bâtiment construit avec la pierre de taille locale. Il était précédé d'une terrasse à balustrades, et une volée de marches menait à la porte à double battant.

En m'approchant, je m'aperçus que plusieurs des piliers soutenant la balustrade étaient cassés, et que, si certains massifs de fleurs avaient été fraîchement renouvelés dans les pelouses, d'autres auraient eu besoin des soins éclairés d'un jardinier compétent.

Je me sentais terriblement insignifiante tandis que je gravissais les marches de pierre. Arrivée sur la terrasse, j'hésitai devant la cloche... Devais-je sonner ou simplement frapper le heurtoir de bronze ?

Je me décidai enfin pour la cloche, et le battant avait à peine eu le temps de résonner que, déjà, la porte s'ouvrait sur un valet en livrée noire qui me regarda de haut. J'eus la désagréable impression qu'il devinait tout de moi, et surtout combien j'étais nerveuse...

— Bonjour, monsieur, dis-je timidement. Je souhaiterais rencontrer monsieur Tregarth.

— De la part de qui, mademoiselle ?

— Clara Mountjoy. J'ai à lui parler... euh... d'affaires.

Le valet leva un sourcil.

— Monsieur Tregarth vous attend-il ?

— Non, admis-je franchement. Mais je suis sûre qu'il acceptera de me recevoir si vous lui dites que je viens au sujet du moulin.

CHAPITRE II

Le laquais m'introduisit enfin à l'intérieur du château et me désigna une chaise. Je m'assis gauchement, tandis que je sentais ma nervosité croître d'instant en instant... J'avais l'impression de ne pas être à ma place dans ce hall somptueux aux colonnes de marbre vert et à l'escalier monumental.

Après un temps qui me parut interminable, le valet réapparut :

— Voulez-vous me suivre, mademoiselle ? Monsieur Tregarth vous recevra dans la bibliothèque.

Il me fit entrer dans une pièce à l'allure très masculine. Les murs étaient couverts de rayons chargés de livres reliés, et le mobilier était constitué de profonds fauteuils de cuir et de tables d'acajou. Il régnait dans cette pièce dont les fenêtres donnaient sur le parc une faible odeur de tabac.

Un homme était assis derrière un bureau chargé de papiers, et la première chose qui me frappa chez lui fut ses yeux gris.

— Asseyez-vous, me dit-il presque brutalement,

en me montrant un fauteuil près de la cheminée. Vous êtes mademoiselle...

— Clara Mountjoy.

Je lui montrai la lettre qu'il m'avait envoyée, et que j'avais jugé bon de prendre avec moi.

— Vous m'avez adressé ce message m'enjoignant de quitter le moulin après la moisson.

— Vous êtes la locataire du moulin ? dit-il avec étonnement.

Je compris qu'il s'attendait probablement à voir une villageoise et que mon apparence le déconcertait. Je me sentais beaucoup plus à mon aise maintenant que je me trouvais en face de lui, alors que je m'étais plus ou moins attendue à ce qu'il refuse de me recevoir. Je n'hésitai donc pas à parler avec abandon :

— Tout va mal pour moi en ce moment, avouai-je d'un ton amer. J'avais un poste de gouvernante à Londres et, quand ma grand-mère est tombée malade, je suis revenue la soigner. Elle est morte il y a peu de temps et voilà que j'apprends qu'il me faut quitter ce moulin que j'ai toujours considéré comme mon foyer !

— Je conçois que cela vous semble dur, mais je voudrais que vous compreniez que ma décision est dictée par le bon sens. Mon oncle ne s'occupait pas du domaine, et si vous réfléchissez un tant soit peu, vous admettrez comme moi qu'il est invraisemblable qu'un moulin soit sans meunier ! Ne pouvez-vous être hébergée par des parents au village ?

— Je n'ai pas de parents. Et très peu d'amis... D'autre part, je ne souhaite pas vivre chez les autres.

— Vous l'avez déjà fait, puisque vous étiez gouvernante, répliqua-t-il.

— C'est exact, monsieur. Cependant j'avais toujours un foyer qui m'attendait.

Il me considéra pensivement.

— Si je comprends bien, vous vous trouvez sans situation, et vous serez bientôt sans logis ?

— Vous venez de résumer ma situation.

Comme sa vie était aisée en comparaison de la mienne ! Il avait tout : la fortune, la santé, le pouvoir... Le pouvoir de jeter dehors n'importe lequel des locataires de son vaste domaine !

C'était un homme d'une trentaine d'années aux cheveux bruns et aux traits réguliers. Il était séduisant, mais j'avais l'impression qu'il ne devait pas souvent sourire.

— Il y a plusieurs cottages vides au village, déclara-t-il soudain. Je peux faire remettre en état l'un d'eux pour vous. Ce serait une solution au premier de vos problèmes...

Il me fixa pendant plusieurs secondes puis se remit à parler d'un ton cassant :

— J'ai l'intention d'engager une gouvernante pour ma fille. Je ne peux rien vous promettre, naturellement, mais si vos références me paraissent satisfaisantes, je serais en mesure de vous offrir ce poste.

Je fus incapable de répondre tant cette proposition inattendue me surprenait. Quel tour stupéfiant prenait ma visite au château ! Le Jeune Châtelain songeait à moi comme gouvernante pour sa fille, n'était-ce pas incroyable !

— Comment êtes-vous venue ici ? demanda-t-il soudain.

— A pied. J'ai fait également une partie de la route dans la voiture d'un fermier se rendant au marché.

Il fronça les sourcil.

— Une jeune fille ne devrait pas se montrer aussi confiante ! Je suis magistrat et il m'est arrivé de voir certains drames bien pénibles... Il n'est pas raisonnable pour une jeune fille d'accepter de monter dans la voiture d'un inconnu...

— Sa femme était avec lui, protestai-je avec timidité.

— Dans ce cas, c'est différent. Je tiens cependant à vous faire reconduire en tilbury.

— Ce n'est pas la peine...

Il m'interrompit.

— Le tilbury ira vous chercher demain au moulin. Vous prendrez avec vous toutes les références et les recommandations que vous possédez... En avez-vous, seulement ?

— Oui, monsieur. La famille qui m'a employée pendant deux ans m'a donné une lettre de recommandation. J'en ai une autre du pasteur, car j'ai donné quelques leçons à ses filles.

La porte s'ouvrit brusquement, et une petite fille entra en courant, poursuivie par une servante qui semblait très gênée.

— Regardez, papa ! Regardez ! s'écria la petite fille avec excitation.

Elle tenait entre ses mains un poussin nouveau-né qui piaillait faiblement.

— Pardon, monsieur, dit la servante en esquissant une révérence maladroite. Il y a des poussins à la cuisine, et mademoiselle Dorothy voulait absolument voir !

La petite fille était mince, brune, très vive, et je remarquai qu'elle était mal habillée : elle portait une triste robe gris foncé que dissimulait à moitié un grand tablier de taffetas marron.

— Il est mignon, n'est-ce pas ? s'exclama-t-elle joyeusement en tendant le poussin à son père.

— Dorothy, tu sais que je déteste que tu entres en coup de vent dans les pièces ! Et vous, Rosy, ajouta-t-il en se tournant vers la servante, vous êtes censée emmener miss Dorothy en promenade ! Que faisait-elle à la cuisine ?

— Je... je pensais qu'elle aimerait voir les poussins, balbutia la servante dont les joues étaient devenues aussi rouges que des pivoines.

— Regardez, papa ! cria encore l'enfant.

Elle se dirigea vers moi.

— Regardez !

De l'index, je fis une légère caresse sur la tête jaune du poussin.

— Sa mère doit se demander où il est passé, fis-je.

— Vraiment ?

— Très certainement, déclara son père. Ce poussin est ravissant, mais mademoiselle Mountjoy a raison : sa mère doit s'inquiéter de son sort, ramène-le lui sans tarder !

La petite fille disparut aussi rapidement qu'elle

était venue, tandis que la servante reprenait sa course derrière elle.

— Comme vous l'avez probablement deviné, mademoiselle Mountjoy, cette enfant est ma fille. Depuis que nous habitons ici, elle vit au jour le jour, sans la moindre discipline et je souhaite vivement que change cet état de choses !

Il eut un geste de la main.

— Je n'ai pas le temps de parler de ceci maintenant. Nous verrons demain...

Il tira le cordon d'une sonnette, tout en précisant que si mes références lui paraissaient satisfaisantes, je pourrais m'occuper de sa fille dans l'immédiat.

Je me sentais à la fois ravie et pleine d'appréhension. Les lettres de recommandation que je possédais seraient-elle suffisantes ? Et si elles l'étaient, que serait ma vie au château ?

Ces pensées m'obsédaient tandis que j'attendais de nouveau dans le hall, cette fois pour le tilbury qui avait été commandé pour moi.

Alors que j'étais plongée dans mes réflexions, mon attention fut attirée par un léger bruit et je levai les yeux vers l'escalier, d'où ce bruit semblait venir. C'était le froissement d'une traîne de soie... Une jeune fille descendait les marches avec lenteur, majesté, et le bruit de ses pas était étouffé par l'épais tapis. Elle était blonde, grande, et extrêmement belle.

Elle me jeta un coup d'œil discret, puis détourna la tête et poursuivit son chemin, comme si mon existence ne valait pas la peine d'être remarquée.

Je me sentis rougir profondément en me voyant

ignorée aussi ouvertement. Les commérages de la femme du fermier me revinrent à la mémoire... Elle avait dit que le Jeune Châtelain était veuf. Dans ce cas, qui était donc cette jolie jeune femme blonde ?

J'eus un léger soupir : si je venais travailler au château, je ne tarderais pas à le savoir !

Quelques instants plus tard, une femme de chambre vint m'annoncer que le tilbury m'attendait, et je fus reconduite au moulin par un cocher taciturne.

Barrie me fit fête : on aurait cru qu'il ne m'avait pas vue depuis des jours et des jours ! Je mangeai un peu de fromage, quelques fruits, puis je pris la route en direction du cottage de Mollie.

— Mollie ! criai-je du plus loin que je l'aperçus. J'ai été ramenée au moulin en tilbury ! Le tilbury du Jeune Châtelain !

— Ah ! Et alors ?

— Je vais peut-être devenir la gouvernante de sa fille ! ajoutai-je triomphalement.

— La gouvernante de sa fille ! Mais ce serait magnifique ! Et qu'a-t-il dit au sujet du moulin ?

— Il veut y mettre un meunier, de toute façon. Cependant il a l'intention de faire remettre en état un cottage inhabité pour moi... Je dois retourner au château demain !

— Allons, racontez-moi tout cela en détail ! s'exclama Mollie en s'asseyant sur le banc encadré de chèvrefeuilles.

Je m'installai à ses côtés et lui narrai par le menu ma visite au château.

*
**

Le lendemain matin, j'étais prête bien longtemps avant l'arrivée du tilbury. Quand celui-ci arriva enfin, je piétinais devant la porte du moulin depuis près de deux heures !

Ce fut le même valet que la veille qui me reçut, mais ce jour-là, ses manières étaient un peu plus affables :

— Ah, mademoiselle Mountjoy ! Voulez-vous attendre un instant, je vous prie ? Je crois que monsieur Tregarth vous attend...

Il me laissa patienter dans le vaste hall que je commençais à connaître. Je remarquai que les fleurs qui ornaient la longue table de chêne avaient été renouvelées, et qu'il y avait quelques cartes de visite sur un plateau d'argent.

Puis il m'introduisit dans la bibliothèque. Henry Tregarth me fit asseoir et demanda si j'avais pensé à apporter mes références. Je lui tendis les deux lettres élogieuses que mes précédents employeurs avaient tenu à me remettre et attendis ses réactions.

— Cela me semble satisfaisant, dit-il enfin. Ma fille Dorothy a huit ans et se trouve orpheline depuis près d'un an. Elle a passé la plus grande partie de son existence en Italie. Jusqu'au décès de sa mère, en fait.

Le Jeune Châtelain avait évoqué la mort de sa femme, et je me demandai s'il me fallait ou non présenter mes condoléances. Après réflexion, je jugeai préférable de demeurer silencieuse et me contentai d'incliner légèrement la tête.

— Une jeune femme tient ici le rôle de maîtresse de maison, poursuivit le châtelain. Depuis de

nombreuses années, le colonel Hepton, un ami de
mon oncle, habitait au château où il avait à sa disposition un appartement privé. Sa fille a été élevée
ici et y est restée après la mort de son père et de mon
oncle. Elle a accepté de s'occuper de Dorothy,
mais étant donné qu'elle a beaucoup à superviser,
elle ne peut guère consacrer de temps à ma fille,
qu'elle a confiée à l'une des servantes — ce qui ne
me semble pas une solution idéale... Dorothy a
besoin d'une gouvernante sérieuse et instruite, capable de répondre intelligemment aux multiples questions qu'elle ne cesse de poser !

— Elle semble être une petite fille très intel-
ligente, très brillante...

— Jusqu'à présent elle n'a pas appris grand-
chose ! Elle ne sait même pas lire !

— L'une des petites filles dont je devais m'occuper à Londres avait l'âge de votre fille et ne
savait pas lire non plus. Mais en quelques mois,
elle a appris...

Cela parut l'impressionner. Il eut un signe de
tête approbateur et déclara :

— Vous pourrez donc prendre vos nouvelles
fonctions dès que possible, mademoiselle Mountjoy. Il vous faudra habiter au château, car il est
hors de question que j'envoie le tilbury quotidien-
nement au moulin... Vous aurez naturellement du
temps libre. Quant à votre salaire, je pense vous
offrir un peu plus que ce que vous touchiez à Londres. Et dès que Dorothy saura lire, j'augmenterai
vos gages.

— Merci, monsieur.

Il sonna et demanda à la femme de chambre qui apparut d'appeler mademoiselle Hepton.

— Je voudrais que vous fassiez sa connaissance sans tarder, elle vous montrera la nursery et la salle de classe.

— Prendrai-je mes repas avec votre fille ? lui demandai-je, car il avait omis de préciser ce point.

— Le petit déjeuner et le déjeuner vous seront servis dans la nursery. Dorothy a l'habitude de dîner avec nous.

Deux questions me vinrent à l'esprit. Qui englobait ce « nous » ? Et étais-je censée dîner seule dans la nursery quand Dorothy descendrait à la salle à manger ?

Comme s'il avait deviné mon interrogation muette, le Jeune Châtelain poursuivit :

— Vous dînerez également avec nous. Cependant, lorsque je recevrai des invités, je ne tiens pas à ce que ma fille paraisse à table.

« Pas plus que sa gouvernante », terminai-je mentalement.

— Montez-vous à cheval ?

— Non, monsieur.

— J'ai l'intention de faire donner des leçons d'équitation à ma fille... Je crains que cela ne soit difficile, car elle a très peur des chevaux depuis qu'elle a eu un accident : l'un des chevaux traînant une calèche dans laquelle elle se trouvait s'est emballé et la voiture a été renversée...

Il se leva.

— Ah, mademoiselle Hepton !

Après avoir légèrement frappé à la porte, la jeune femme blonde que j'avais aperçue la veille fit son apparition dans la bibliothèque.

— Mademoiselle Hepton, voici mademoiselle Clara Mountjoy, que je viens d'engager comme gouvernante pour Dorothy. Mademoiselle Mountjoy, voici mademoiselle Celia Hepton.

La jeune fille qui souriait au Jeune Châtelain se tourna vers moi. Le sourire s'éteignit instantanément sur ses lèvres tandis qu'elle me toisait sans aménité.

— Bonjour..., dit-elle du bout des lèvres.

Puis, s'adressant au Jeune Châtelain, elle lança :

— J'ignorais que vous vous étiez mis en quête d'une gouvernante.

— C'est tout à fait par hasard que j'ai fait la connaissance de mademoiselle Mountjoy.

— Quel heureux hasard ! dit-elle ironiquement.

— Oui, répondit-il sans paraître remarquer la moquerie contenue dans l'exclamation de Celia Hepton. Puis-je vous demander d'avoir l'obligeance de montrer à Miss Mountjoy les lieux ? Qu'elle reste à déjeuner, celui-ci va être servi...

Mademoiselle Hepton fronça les sourcils.

— Voulez-vous dire qu'elle déjeunera avec nous ?

— Oui, répliqua-t-il avec une certaine sécheresse.

Je suivis Mlle Hepton. J'avais vivement rougi et je m'aperçus que ses pommettes étaient également très rouges.

— Vous habitez au village ? lança-t-elle avec un dédain non dissimulé.

— Oui, au moulin. Mais monsieur Tregarth souhaite y installer un meunier, si bien que je me retrouve sans logis...

— Je vois... Et vous êtes gouvernante ?

Elle avait posé cette question d'un ton surpris, presque insultant.

Je ne répondis pas.

— Je vis ici depuis de nombreuses années, expliqua-t-elle tout en redressant une fleur au passage. Je considère le château comme mon foyer... Je m'occupais de tout ici pendant que le Vieux Châtelain et mon père étaient vivants, et j'ai l'impression que Henry Tregarth souhaite que je continue à tenir le rôle de maîtresse de maison. Il faut qu'une femme veille à tout dans une grande demeure comme celle-ci...

Il était évident qu'elle tenait à me démontrer que nos situations étaient totalement différentes : elle faisait partie de la race de ceux qui commandaient, tandis que je ne serais jamais qu'une employée.

— Voici le salon, dit-elle avec orgueil.

C'était une pièce magnifique. Un lustre de cristal pendait au plafond sculpté. Sur l'instant, j'eus l'impression que cette pièce était beaucoup plus grande qu'elle ne l'était en réalité, puis je m'aperçus qu'elle était entièrement reflétée dans un énorme miroir qui occupait tout un mur.

J'admirai les tableaux, les bibelots dispersés sur les guéridons, tandis que Celia Hepton m'expliquait que cette pièce avait été refaite tout récemment.

— Oncle Lionel (ainsi appelait-elle le Vieux Châtelain), ne s'occupait de rien, en dépit des objurgations de mon père qui ne cessait de lui répéter que cette immense propriété avait besoin d'être entretenue. Henry Tregarth va avoir énormément à faire pour remettre le château en état, ainsi que pour rendre le domaine rentable !

Elle me fit visiter les pièces du rez-de-chaussée, sans cesser de parler. Elle connaissait le nom de chacun des ébénistes ayant sculpté les meubles, ainsi que chacun des peintres ayant réalisé les nombreux tableaux ornant les murs.

Des ouvriers du bâtiment, des peintres et des menuisiers travaillaient dans plusieurs des salons du rez-de-chaussée. Nous montâmes ensuite au premier étage et elle me montra la nursery, une pièce mal entretenue dont le parquet était recouvert d'un linoléum usé.

— Et voici la salle d'étude...

Cette pièce était encore plus misérable que la nursery. Elle était simplement meublée de deux tables et d'un vieux tableau noir. Une puissante odeur de moisi et de renfermé s'en dégageait, prouvant qu'il y avait bien longtemps que nul n'avait pénétré ici.

— Quand j'étais petite, j'avais une gouvernante, déclara mon guide. J'ai appris à lire dans cette pièce... Puis mon père m'a envoyée en pension.

Elle poussa une porte :

— Voici la chambre de Dorothy.

Il y avait deux lits jumeaux dans cette pièce. Celia Hepton m'expliqua que Rosy, la servante qui s'occupait actuellement de Dorothy, dormait dans l'un d'eux.

— J'espère que cela ne vous ennuiera pas de partager la chambre de Dorothy jusqu'à ce que l'on remette une pièce en état pour vous ?

— Absolument pas. Où avez-vous l'intention de me loger ?

— La chambre située de l'autre côté du couloir serait tout indiquée. Venez...

Nous traversâmes le corridor et nous arrêtâmes devant une porte à double battant que Mlle Hepton ouvrit à l'aide d'une clé qu'elle sélectionna au milieu d'un trousseau suspendu à sa ceinture.

Cette pièce était poussiéreuse. Nul n'y était visiblement entré depuis de nombreuses années.

— Quand tout sera nettoyé, vous verrez qu'il s'agit d'une pièce très agréable...

Elle hésita un instant avant de me demander à brûle-pourpoint si j'étais peureuse.

— Pas du tout, répondis-je. N'oubliez pas que je vis seule dans un moulin situé à l'écart du village.

— Les serviteurs disent que cette chambre est hantée. J'espère que vous ne croyez pas à de semblables balivernes...

Elle jeta un coup d'œil à la montre d'or qui était suspendue par une chaînette à son cou.

— Il est temps que nous descendions à la salle à manger. Le déjeuner va être servi... D'ordinaire, monsieur Tregarth et moi prenons ce repas seuls.

En revanche, il tient à ce que sa fille assiste au dîner.

— C'est ce qu'il m'a dit. Si j'ai bien compris, je dînerai également à la salle à manger...

Elle me fixa durement.

— Ah, bon ! fit-elle enfin.

Un accès de timidité s'empara de moi dès que je me trouvai à table. L'argenterie, les porcelaines, et le service impassible d'un maître d'hôtel à l'allure trop digne, tout cela augmentait ma maladresse et je ne sais ce que j'aurais donné pour me retrouver dans la cuisine du moulin !

Monsieur Tregarth et Mlle Hepton ne cessèrent de parler des réparations en cours pendant tout le repas. A plusieurs reprises, le Jeune Châtelain me posa quelques questions, mais Mlle Hepton s'arrangeait toujours pour ramener la conversation sur des sujets que je ne connaissais pas.

— Quelle chambre pensez-vous donner à mademoiselle Mountjoy ? demanda-t-il soudain.

— La Chambre Bleue, répondit-elle avec une certaine emphase.

Il ne répondit pas et se contenta de froncer imperceptiblement les sourcils. Je crus qu'il allait, lui aussi, évoquer les racontars des serviteurs... Mais peut-être estima-t-il indigne de lui de s'appesantir sur de pareilles sottises, et il ne fit aucun commentaire.

Le tilbury me ramena ensuite au village, et le cocher se montra un peu plus loquace qu'à l'ordinaire. C'était un homme relativement âgé qui m'apprit qu'il travaillait au château depuis près de cinquante ans.

— Ah, la vie au château était bien différente autrefois ! Quand le Vieux Châtelain n'avait pas eu tous ces soucis...

— Quels soucis ?

— Chacun a son fardeau à porter dans la vie, me répondit-il assez évasivement.

Je n'osai pas poser d'autres questions : je comprenais que j'avais eu tort de paraître curieuse.

Il avait été entendu que je prendrais mon poste très rapidement, ce qui me laissait tout juste le temps de ranger mes affaires et, surtout, de préparer ma garde-robe...

Je n'avais guère de vêtements, et me demandais ce que j'allais porter le soir à table, lorsque je serais invitée à partager le dîner du Jeune Châtelain et de Celia Hepton.

En réalité, je n'avais aucune robe convenable...

Je fis part de mes soucis à Mollie qui me tapota l'épaule d'un air encourageant.

— Ne vous inquiétez pas, Clara, je vais bien trouver quelque chose pour vous parmi mes trésors...

Je la suivis dans sa chambre et, avec quelque appréhension, la vis soulever le couvercle d'une vieille malle dans laquelle s'empilaient de vieilles étoffes trouées. Rien de tout cela n'était susceptible de me convenir !

— Avez-vous une jupe noire, Clara ? demanda soudain Mollie en dépliant un coupon de soie bleue aux reflets argentés. Voilà de quoi faire une jolie blouse... Ne croyez-vous pas ?

— Vous avez raison ! répondis-je, surprise de trouver un aussi beau tissu dans cette malle que j'avais crue bourrée de vieux chiffons.

— Et regardez ! poursuivit-elle. Vous pourrez confectionner une autre blouse de dentelle avec cela !

Elle referma la malle.

— Je ne crois pas avoir autre chose... Si vous voulez, je pourrai vous aider à coudre...

— Merci, Mollie ! m'exclamai-je avec sincérité. Vous me rendez un grand service !

Elle secoua la tête d'un air songeur.

— Je n'arrive pas à me faire à l'idée que vous allez devenir la gouvernante de la fille du Jeune Châtelain ! Le jour où vous êtes allée au château, c'était nouvelle lune ! Cela vous a porté chance...

— Oui, j'ai eu de la chance, dis-je. Je n'imaginais pas que je pouvais trouver un emploi si près du village...

Avec l'aide de Mollie, je réalisai deux blouses du soir qui me parurent ravissantes.

— Vous ressemblez à une duchesse ! prétendit Mollie quand je les essayai dans la cuisine du moulin. Le Jeune Châtelain pourra être fier de vous lorsque vous dînerez à sa table !

Barrie s'affala à mes pieds avec un soupir de contentement.

— Toi, Barrie, déclara Mollie avec bonne

humeur, tu viendras habiter avec moi, car je n'ai pas l'impression que tu serais le bienvenu au château !

— Cela ne vous ennuiera pas de le garder, Mollie ? Je me demandais ce que j'allais en faire... En tout cas, j'espère que je pourrai venir vous voir très, très souvent !

CHAPITRE III

— Voici la poupée que je préfère, dit Dorothy en saisissant à bras-le-corps une grande poupée au visage de porcelaine délicatement peint. J'aime beaucoup jouer avec elle, mais il paraît qu'elle est très fragile et j'ai peur de la casser !

Nous nous trouvions ensemble dans la nursery, où elle me faisait passer ses jouets en revue. Elle semblait enchantée d'avoir auprès d'elle quelqu'un s'intéressant à ce qu'elle faisait... Rosy et Mlle Hepton avaient dû la laisser un peu trop souvent livrée à elle-même.

Elle possédait également quelques livres d'images en mauvais état.

— Nous achèterons d'autres livres, dis-je, et je vous lirai de belles histoires.

— Rosy ne lit jamais d'histoires ! Par contre, elle en raconte... Des histoires effrayantes qui m'empêchent parfois de dormir !

— Vraiment ?

Je n'étais pas surprise de cette révélation. J'imaginais le genre d'histoires à dormir debout que Rosy

pouvait raconter à une petite fille... Mollie en avait
également tout un répertoire, que j'écoutais bouche
bée étant enfant. Mais je n'avais aucune crainte :
ma mère et ma grand-mère m'avaient recommandé
de ne pas y croire !

L'un des récits de Mollie concernait notre rivière,
la Sedge. Elle prétendait que la Sedge avait besoin
chaque année de son tribut de vies humaines, et
que bon an, mal an, il lui fallait un certain nombre
de noyés. Le propre mari de Mollie avait disparu
un soir, alors que la Sedge était en crue ; peut-être
était-ce la mort tragique de son mari qui avait
donné toutes ces idées à la vieille femme ?

— Qui vous a offert cette jolie poupée, Dorothy ?

— C'est papa. Il m'avait dit qu'il me donnerait
la plus belle poupée qu'il pourrait trouver si j'appre-
nais à lire. Alors, je lui ai fait croire que je savais
déjà !

— Comment cela ? m'étonnai-je. Mais... c'est
mal de mentir !

Elle éclata de rire.

— J'ai appris une page par cœur avec l'aide de
Miss Jones, ma gouvernante. Papa était très content
et m'a donné la poupée !

— Oh, Dorothy..., soupirai-je.

Je ne pouvais décemment pas la gronder pour
un événement qui s'était déroulé plusieurs mois
auparavant. D'ailleurs la gouvernante qui avait
conseillé cet acte mensonger était seule à blâmer !

— Cependant, poursuivit Dorothy, papa n'a pas
tardé à s'apercevoir que je l'avais trompé ; il m'a

demandé de lire un gros titre dans un journal, et
je n'ai pas su... Il m'a alors dit que je mériterais
qu'il me reprenne la poupée, mais qu'il n'agirait pas
ainsi, car je n'étais pas entièrement responsable de
cette vilaine tromperie...

— Vous apprendrez vite à lire, Dorothy. Nous
achèterons de jolis livres...

— Je n'ai eu qu'une gouvernante anglaise,
poursuivit-elle. Toutes les autres étaient italiennes
et me parlaient italien.

C'était ma première journée au château. Dorothy
était ravie d'apprendre que j'allais partager sa chambre.

— Vous resterez toujours avec moi, n'est-ce pas ?
J'ai peur du noir...

— Vous avez une veilleuse, Dorothy, par conséquent vous ne vous trouvez pas dans l'obscurité la
plus totale. Dès que la Chambre Bleue sera pré-
parée, j'irai y dormir... Mais vous pourrez toujours
venir m'y trouver si vous vous réveillez au cours
de la nuit.

— Rosy dit que la Chambre Bleue est hantée.

Je haussai les épaules.

— Quelle bêtise ! Les fantômes n'existent pas,
Dorothy ! Venez, allons nous promener... Venez me
montrer le parc !

J'avais tressé ses cheveux en deux nattes nouées
de rubans. Cela lui donnait une apparence beaucoup
plus nette, mais j'avais eu du mal à lui faire accepter cette nouvelle coiffure.

— Lorsque vous devrez sortir avec votre papa,
vous pourrez porter vos cheveux longs. Ils seront

alors beaucoup plus jolis car les nattes leur auront donné de petites ondulations...

Cela seulement arriva à la décider.

J'étais désolée de la voir aussi mal habillée. Elle portait encore le deuil et ne possédait que des vêtements noirs, gris ou marrons devenus trop étroits pour elle, en général.

Nous descendîmes l'escalier et sortîmes sur la terrasse. Dorothy glissa sa petite main dans la mienne et m'entraîna vers le chenil.

— Allons voir les chiens !

— J'ai moi-même un chien qui s'appelle Barrie. J'ai dû le laisser, fis-je avec un petit soupir.

— Qui s'occupe de lui ?

— Mollie, une vieille dame qui habite un joli cottage près du moulin. Barrie est très heureux avec elle...

— Amenez-le donc au château. Papa ne dira rien...

Je me mis à rire.

— Je crois que Barrie est mieux là où il se trouve !

Dorothy semblait fascinée par le moulin. La pensée de vivre près d'une rivière l'enchantait...

— C'est pourtant beaucoup mieux ici, fis-je en admirant le parc que parcouraient des allées nouvellement sablées.

— Allons voir les chevaux maintenant ! décida Dorothy. Je ne sais pas monter, mais tante Celia va toujours se promener à cheval avec papa...

Pour Dorothy, Mlle Hepton était donc « tante

Celia ». Et celle-ci avait l'habitude de se promener
à cheval avec le Jeune Châtelain...

William, le vieux cocher qui m'avait amenée
plusieurs fois du moulin au château, était assis sur
un seau retourné. Il fumait une pipe tout en regardant l'horizon d'un air absent.

Quand il me vit avec Dorothy il m'adressa un
petit sourire de connivence.

— Apprenez-vous bien vos leçons, Miss Dorothy ? Quand viendrez-vous me voir pour que je
vous mette à cheval ?

— Je n'apprendrai jamais à monter à cheval !
déclara-t-elle avec détermination. Jamais !

Elle me reprit la main et repartit en courant.

— Où allons-nous ?

— A la carrière !

— Une carrière ? J'ignorais qu'il y eût une carrière au château...

— Oh, elle est abandonnée depuis très longtemps...

Je la suivis dans l'escalade d'une colline sur
laquelle l'herbe poussait dru. Au sommet de cette
colline, nous nous arrêtâmes devant une énorme
excavation dont une barrière à demi-brisée était
censée interdire l'accès.

— Maintenant, nous descendons dans ce trou !
annonça Dorothy qui semblait vouloir prendre la
direction des opérations.

— Certainement pas ! m'exclamai-je. Je vous
l'interdis, Dorothy, c'est trop dangereux !

— Rosy ne m'a jamais empêchée de descendre ! On peut passer là... Regardez !

Elle me montra un étroit chemin à flanc de falaise et j'eus un frisson.

— Je ne veux pas que vous vous rompiez le cou, Dorothy. Venez... D'ailleurs, le déjeuner ne va pas tarder à être servi ! Rentrons au château !

— Je ne vous ai pas montré la moitié de ce qu'il y a à voir !

— Nous aurons tout le temps pour cela cet après-midi et les jours suivants !

Elle quitta la carrière avec regret, mais sans plus insister car une autre idée venait de s'emparer de son esprit fertile :

— Faisons la course jusqu'au grand chêne !

— Si vous voulez, Dorothy. Faisons la course...

Nous étions en train de courir à perdre haleine quand j'aperçus deux cavaliers. Je devinais qu'il s'agissait probablement de M. Tregarth et de Mlle Hepton, et je me demandai ce que le père de Dorothy pouvait penser en nous voyant nous poursuivre dans le parc comme deux enfants...

Lorsque nous arrivâmes au château, Dorothy annonça qu'elle avait gagné et dévora avec appétit l'excellent déjeuner qui nous fut servi par une femme de chambre dans la nursery.

— Je suis contente que vous soyez là, déclara Dorothy. Avant votre arrivée, je prenais tous mes repas seule, à l'exception du dîner. Quelquefois, Rosy venait bavarder avec moi... Mais pas souvent car elle a un amoureux !

— Comment savez-vous cela ?

— Elle me l'a dit elle-même.

De toute évidence, Darothy avait passé beaucoup trop de temps à écouter les ragots des domestiques. Je n'étais pas persuadée que ces bavardages soient la meilleure des éducations pour une petite fille de huit ans !

— Vous auriez dû rester auprès de mademoiselle Hepton, dis-je en la servant de légumes.

— Tante Celia ? Elle m'emmenait parfois dans son salon et jouait du piano pour moi...

— Aimiez-vous cela ?

— Oui. Je dansais... Savez-vous danser, mademoiselle Mountjoy ?

— Un peu.

J'expliquai que la fille aînée des Thomas, chez qui j'avais été gouvernante à Londres, avait reçu des cours de danse et que sa mère avait tenu à ce que je les suive en même temps qu'elle.

— Je pourrai également vous jouer du piano et vous apprendre à chanter, poursuivis-je.

— Oh, oui ! s'exclama-t-elle. Personne ne va jamais au salon pendant l'après-midi, nous pourrions y prendre le thé et jouer du piano !

— Pourquoi pas, si cela n'ennuie personne.

Dans le courant de l'après-midi, il se mit à pleuvoir. Dorothy et moi descendîmes dans le salon et je posai ses petits doigts sur les touches.

— Je vais vous montrer un exercice facile qui déliera vos doigts... A huit ans, vous pouvez commencer à vous mettre au piano !

Elle s'appliquait de tout son cœur, et un petit bout de langue rose passait entre ses lèvres. Je n'entendis pas la porte s'ouvrir et ce fut seulement

le son de la voix d'Henry Tregarth qui me fit sur-
sauter.

— Ecoutez-moi, papa ! s'écria Dorothy avec
enthousiasme.

— Très bien, ma chérie, approuva-t-il en souriant.

Il parut soudain plus jeune grâce à cette lueur
amusée dans son regard gris.

— Tout va bien, mademoiselle Mountjoy ? me
demanda-t-il.

— Oui, monsieur, je le crois. Il y a cependant
un ou deux points concernant l'éducation de Dorothy dont j'aimerais parler avec vous.

— C'est facile.

— Il serait nécessaire de lui acheter quelques
livres, ainsi que du matériel scolaire...

— Bien sûr. Vous pouvez commander tout ce
que vous jugez nécessaire... Est-il possible d'acheter
cela à Chollerford ?

— Je le pense, monsieur.

— Dans ce cas, peut-être pourrions-nous envi-
sagèr une expédition à Chollerford.

— Une expédition ? répéta Dorothy en écarquillant les yeux.

— Un petit voyage, si tu préfères, ma chérie.
Nous irions tous les trois à Chollerford pour choisir de jolis livres pour toi...

Il regarda sa fille d'un air satisfait.

— Tu es très bien coiffée, Dorothy.

— Mademoiselle Mountjoy dit que cela fait
plus net mais que si vous m'emmenez en visite, je
pourrai de nouveau porter mes cheveux longs. Ils

auront de jolies ondulations ! Je me demande si ceux de mademoiselle Mountjoy sont ainsi quand elle les porte longs...

Son bavardage m'embarrassa quelque peu... J'avais déjà remarqué qu'elle sautait d'un sujet à l'autre avec vivacité, et sans trop réfléchir !

— Je vous ai vues vous promener toutes deux ce matin, remarqua le Jeune Châtelain. J'ai même cru vous voir courir...

— Oui, nous avons fait la course et j'ai gagné. Nous avons été voir la carrière mais mademoiselle Mountjoy m'a interdit d'y descendre !

— Elle a eu entièrement raison !

Monsieur Tregarth me lança un coup d'œil approbateur et eut un léger soupir.

— Dorothy est un vrai garçon manqué.

— Elle est pleine d'énergie ! Heureusement, je n'en manque pas moi-même...

— Dansez avec moi, papa ! s'écria soudain la petite fille. Mademoiselle Mountjoy va jouer du piano pour nous...

— Tu ne sais pas encore danser, ma pauvre Dorothy !

— Mademoiselle Mountjoy va m'apprendre. Elle a elle-même appris quand elle était à Londres ; il y avait une leçon tous les mercredis après-midi, avant le thé.

— Eh bien, si mademoiselle Mountjoy a l'habitude de telles distractions, nous allons danser, dit le Jeune Châtelain avec indulgence. Viens, Dorothy... Sur le parquet, pas sur les tapis, voyons !

— Je vais jouer une valse, dis-je en m'installant devant le clavier.

J'attaquai une joyeuse valse viennoise, tandis que M. Tregarth tentait de guider les pas de sa fille.

— Maintenant, vous allez danser avec mademoiselle Mountjoy, suggéra-t-elle ensuite.

— Quand tu sauras jouer du piano, répondit son père, réalisant combien j'étais gênée. Mais je crois bien que l'heure du thé est arrivée. Pourquoi ne le prendrions-nous pas tous les trois au salon ?

Il sonna et commanda le thé qui nous fut apporté peu après. Je servis le thé tandis que Dorothy proposait les cakes et les toasts beurrés.

Elle se laissa tomber dans un fauteuil et, d'un air satisfait, déclara :

— Nous sommes très bien ici. Mais que regardez-vous donc, mademoiselle ?

— Les portraits suspendus au mur...

— Je ne connais personne parmi tous ces gens-là ! assura Dorothy. Et vous, papa ?

— Seulement quelques-uns. Par exemple, voici mon grand-oncle Lionel, celui qu'on appelait le Vieux Châtelain... Si nous habitons ici maintenant, c'est parce qu'il n'avait pas d'héritier direct.

— Et cette dame en bleu ?

— Ma grand-tante Alice, la femme de mon grand-oncle Lionel.

— Son nez ressemble à celui de mademoiselle Mountjoy !

— Dorothy, il ne faut pas faire de semblables remarques ! la reprit sévèrement son père. Ta langue est trop longue !

— Comment savez-vous qu'elle est trop longue ! s'écria la petite fille.

Là-dessus, elle nous montra une langue pointue. Nous étions tous deux en train de la gronder quand la porte s'ouvrit sur Mlle Hepton.

— Tiens, Celia ! Mais je croyais que vous étiez allée voir les Wood ! s'étonna M. Tregarth. N'étaient-ils pas chez eux ?

— La route est barrée par un arbre abattu. Le temps que ces maladroits de bûcherons arrivent à la dégager et la nuit sera tombée !

— Eh bien ! venez donc prendre le thé avec nous.

Celia Hepton s'approcha de la cheminée et ôta ses gants pour réchauffer ses mains. Elle était vêtue d'un manteau bleu bordé de fourrure, et je me sentais presque misérable à ses côtés, dans ma petite robe de lainage noir à la coupe sévère.

— Quel temps épouvantable ! grommela-t-elle. Il pleut encore...

Dorothy avait terminé son thé. Elle se dirigea vers le piano et se mit à en marteler les touches bruyamment. Celia Hepton eut une grimace agacée et se tourna vers moi. Je compris le message et me levai.

— Dorothy et moi allons regagner la nursery.

— A tout à l'heure, papa ! cria Dorothy pendant que je refermais la porte.

En fin d'après-midi je la préparai pour le dîner, puis je m'habillai moi-même.

— C'est joli ! admira Dorothy en détaillant ma

blouse bleue. Allez-vous porter des perles ? Tante Celia porte toujours des perles !

Je ne possédais aucun bijou et cette pensée m'attrista. Je ne tardai pas à me rasséréner : je n'avais aucune intention de rivaliser avec Mlle Hepton ! J'en étais d'ailleurs bien incapable...

Nous nous assîmes tous les quatre à la longue table d'acajou chargée d'argenterie gravée aux armes des Tregarth. Celia Hepton était vêtue d'une robe de soie noire sur laquelle étincelait un rang de perles laiteuses.

Je me souvins qu'elle aussi était en deuil, puisque son père était récemment décédé. Mais elle semblait s'habiller en noir seulement quand cela lui convenait.

Elle m'enveloppa d'un coup d'œil rapide. Il y avait dans son regard une hostilité à peine voilée... Monsieur Tregarth me détailla également avec approbation, et aussi une légère surprise.

Je me souvins alors des paroles de Mollie : « Le Jeune Châtelain pourra être fier de vous lorsque vous dînerez à sa table ! »

Dorothy m'avait dit qu'il lui était interdit de parler durant le dîner. Cette mesure lui était pénible, cependant elle réussissait à se discipliner car elle savait qu'en cas de manquement, elle se retrouverait à la nursery.

— Je dois aller au marché de Chollerford jeudi prochain, déclara soudain M. Tregarth. Etant donné que je suis magistrat, je suis souvent convoqué au tribunal... Jeudi étant le jour du marché, peut-être souhaiteriez-vous aller également à Chollerford, mademoiselle Mountjoy ?

— C'est une excellente idée. Je pourrai ainsi choisir les livres qui seront nécessaires à Dorothy. Je voudrais également lui acheter un matériel de couture : il faut qu'elle apprenne à broder.

— Vous avez carte blanche.

— Etes-vous réellement obligé de vous rendre à Chollerford jeudi, Henry ? demanda Mlle Hepton.

— Mais oui. Pourquoi semblez-vous ennuyée ?

— J'avais promis à madame Wood que nous irions la voir ce jour-là...

— Vous auriez dû m'en parler auparavant ! Voilà une étrange idée de disposer de mon temps sans me prévenir !

Celia Hepton rougit violemment. Puis elle se mordit la lèvre inférieure et se força à sourire.

— Cela n'a pas d'importance : j'irai voir seule madame Wood...

En lui souriant toujours, elle m'adressa un coup d'œil plein de venin. Cette animosité me surprit : je n'étais en rien responsable de la façon dont l'un ou l'autre disposait de son emploi du temps !

La présence de Mlle Hepton au château devait certainement représenter un problème à Henry Tregarth. Lorsqu'il avait pris possession du domaine, il lui avait été difficilement possible de lui demander de partir, d'autant plus qu'elle disait à qui voulait l'entendre qu'elle considérait que le château était sa maison.

Le Jeune Châtelain s'était senti tenu de traiter

Mlle Hepton avec beaucoup plus d'égards qu'il n'avait montrés à l'encontre de la fille du meunier !

Lorsque le dîner fut terminé, Dorothy se tourna vers son père :

— Allons-nous jouer aux cartes ?

— Ce soir ce ne sera pas possible, ma petite Dorothy, car j'attends la visite d'un des métayers.

Dorothy parut terriblement déçue. Elle m'avait dit qu'elle avait l'habitude de passer quelque temps avec son père après le dîner.

— Je jouerai aux cartes avec vous, Dorothy, proposai-je.

Nous ne tardâmes pas à rejoindre la nursery. Celia Hepton était restée en compagnie de M. Tregarth, et je me demandai comment elle allait passer cette soirée. Peut-être attendait-elle des visites, elle aussi. Etant donné que son appartement était indépendant, il lui était possible de recevoir qui elle voulait.

Sa manière de vivre me semblait assez surprenante. Quel âge pouvait-elle bien avoir ? Certainement pas plus de vingt-deux ans...

— Lorsque nous sommes arrivés au château, déclara Dorothy qui sautait comme un cabri dans l'escalier, je prenais tous mes repas seule. Même les dîners ! Rosy m'a expliqué que papa m'a fait descendre parce qu'il ne voulait pas que les gens s'étonnent...

— Rosy dit n'importe quoi ! m'exclamai-je avec agacement.

Cette fille était décidément trop bavarde ! Mais je comprenais que M. Tregarth ait refusé de dîner

seul en compagnie de Mlle Hepton pour éviter que
les mauvaises langues du voisinage n'en tirent
aussitôt des conclusions...

Je jouai aux cartes avec Dorothy, puis au jeu
de l'oie, et enfin je lui lus une histoire avant de la
mettre au lit.

— Et vous, mademoiselle Mountjoy, quand
allez-vous vous coucher ?

— Bientôt, Dorothy. J'ai d'abord l'intention de
lire un peu...

Dorothy ne tarda pas à s'endormir et je m'assis auprès du feu. Le livre me tomba bientôt des
mains tandis que je récapitulais les événements de
la journée tout en regardant sans les voir les hautes flammes claires s'élever sur la plaque de fonte
qui protégeait les pierres.

Oui, cette première journée au château m'avait
paru bien chargée... J'étais persuadée que Dorothy
ne me donnerait pas trop de mal, d'autant plus
que son père semblait me faire confiance.

Je savais que Barrie se trouvait bien soigné
par Mollie... Tout allait bien ! Alors pourquoi me
sentais-je mal à l'aise, presque inquiète ?

Je me rappelai le regard glacial de Celia Hepton, que j'avais surpris posé sur moi à plusieurs
reprises.

Cette femme me haïssait.

CHAPITRE IV

Dorothy et son père s'assirent au fond de la calèche et je pris place sur le strapontin en face d'eux.

Il était encore très tôt, mais M. Tregarth avait à faire au Tribunal de Chollerford de bonne heure, et c'était la raison pour laquelle notre départ avait lieu à une heure aussi matinale.

Dorothy était ravie à la pensée d'aller acheter des livres et tout un matériel neuf pour commencer ses cours. Elle chantonnait d'un air heureux, tout en regardant les charrettes que nous dépassions. C'était jour de marché et les attelages pittoresques se dirigeant vers le gros bourg étaient nombreux.

— Mademoiselle Mountjoy a dit qu'elle voudrait aller voir une couturière si nous en avons le temps, lança soudain Dorothy. Elle veut une nouvelle robe !

Dorothy avait la détestable habitude de parler à tort et à travers. Elle répétait à son père presque tout ce que je lui disais, et ce dernier devait penser que j'étais bien bavarde !

— Y a-t-il une bonne couturière à Chollerford ? demanda le Jeune Châtelain.

— J'en connais une qui travaille très bien.

Il jeta un coup d'œil au manteau gris que sa fille portait et fit une petite grimace.

— Ne croyez-vous pas qu'il serait temps de renouveler la garde-robe de Dorothy, mademoiselle Mountjoy ?

Je n'avais pas osé aborder ce sujet, et je fus soulagée en l'entendant parler ainsi.

— Je le pense également, déclarai-je. La plupart de ses robes sont devenues trop petites... D'autre part, ne pourrait-on envisager de lui faire quitter le deuil ? Les petites filles ne le portent pas très longtemps, d'ordinaire...

— Vous avez raison. On dirait qu'il n'y a que des personnes endeuillées au château !

C'était exact, hélas ! Il avait perdu sa femme, Celia Hepton pleurait son père, et j'avais eu la douleur de dire récemment un dernier adieu à ma grand-mère.

— Je vous laisse entièrement juge du choix des vêtements de Dorothy, vous avez bon goût.

— Merci, Monsieur.

— Je voudrais une robe bleue et une autre blanche avec des dentelles... Et un manteau écossais comme celui de ma poupée... Et puis...

— Tu auras ce que mademoiselle Mountjoy décidera, Dorothy. Tu n'as aucun mot à dire dans cette affaire ! D'ailleurs peut-être n'aurez-vous pas assez de temps pour tous vos achats !

— Oh, si, nous le trouverons bien, n'est-ce pas, mademoiselle Mountjoy ?

— Nous essaierons, Dorothy.

Dorothy se tut car nous venions d'entrer dans Chollerford. Elle écrasa son nez à la vitre de la calèche pour mieux voir le bourg si animé un jour de marché.

Fermières endimanchées, paysans en blouses, maquignons traînant vaches ou chevaux, enfants excités, vieilles femmes chargées de paniers pleins de poulets aux pattes liées... tout cela formait un tableau haut en couleurs et en vacarme.

Le cocher arrêta la calèche dans la cour de l'auberge des « Sept Etoiles » et nous descendîmes. Monsieur Tregarth prit Dorothy dans ses bras pour la faire descendre, puis il me tendit la main.

Je me sentais toujours assez mal à l'aise en sa présence, et je devais me forcer, le soir, pour aller dîner dans la grande salle à manger... Il m'intimidait beaucoup. J'avais l'impression qu'il étudiait chacun de mes gestes, chacune de mes paroles, si bien que je devenais gauche et maladroite sous son regard attentif...

— Je dispose d'une heure, déclara-t-il en consultant sa montre d'or. Sim va nous suivre et portera les paquets... Allons tout d'abord voir les livres.

Sim, le valet qui avait voyagé à côté du cocher, nous emboîta le pas dans la grand-rue de Chollerford, et nous nous frayâmes un chemin au milieu de la foule.

Je m'arrêtai devant la librairie où j'avais pris l'habitude de faire mes achats.

— Je pense que nous trouverons ici tous les livres dont Dorothy peut avoir besoin, déclarai-je.

Un vieil homme se précipita vers nous dès que nous fîmes notre entrée dans sa boutique fleurant bon le papier imprimé. Il m'offrit une chaise tandis que M. Tregarth expliquait qu'il nous fallait des livres de classe pour une enfant dont toute l'éducation était à faire.

Le libraire caressa longuement sa grande barbe grise. Je remarquai que Dorothy était fascinée par cette barbe... Mais heureusement elle évita toute réflexion déplacée.

Bientôt, nous nous trouvâmes absorbés par l'examen des livres de lecture, de géographie, d'histoire, ainsi que par le matériel nécessaire à l'étude : crayons, règles, etc.

— Si cette jeune demoiselle aime peindre, nous pouvons également fournir de la peinture d'excellente qualité !

Le libraire ouvrit une longue boîte noire dans laquelle étaient disposés des petits pains de toutes les couleurs.

— Oh, oui ! s'exclama Dorothy, les yeux brillants de joie. Comme j'aimerais peindre ! Comme cela doit être amusant !

Le Jeune Châtelain me laissa choisir les livres qui me semblaient les plus intéressants. Dorothy était ravie de constater que tout cela serait pour elle. Rose d'exaltation, elle allait d'un rayon à l'autre, tandis que je feuilletais les volumes avec attention.

Quand la pile d'ouvrages et d'objets divers me parut suffisante, je me tournai vers M. Tregarth :

— Je crois que nous avons là ce qu'il nous faut, monsieur.

— Très bien...

Le libraire me fit une petite courbette. Il était manifestement enchanté de recevoir d'aussi bons clients.

— Je reste à votre entière disposition pour honorer vos commandes, mademoiselle. En moins d'une semaine, nous pouvons recevoir de Londres tous les ouvrages qui peuvent vous intéresser...

— Nous aurons probablement besoin d'autres livres par la suite, déclara M. Tregarth. Pour le moment, nous nous contenterons de ceci...

— Je ne sais pas encore lire, déclara Dorothy, mais j'ai l'intention d'apprendre très, très vite ! Et j'écrirai mon nom sur tous ces livres ! Oui, j'écrirai Dorothy Tregarth partout !

Le libraire parut surpris.

— Tregarth ? Etes-vous des Tregarth d'Abinger Hall ?

— Oui, répondit le Jeune Châtelain avec une sécheresse qui ne me parut pas de mise.

Le libraire hocha la tête.

— Il y a de longues années, j'ai fourni des livres de classe à Abinger Hall !

Il se mit en devoir d'envelopper nos achats et Sim, le valet, s'en chargea.

— Oh ! Un magasin de jouets ! s'écria Dorothy une fois que nous nous retrouvâmes dans la rue.

— Je ne crois pas que tu aies besoin de nouveaux jouets ! déclara son père.

Et, se tournant vers moi, il demanda :

— N'est-ce pas votre avis, mademoiselle Mountjoy ?

— A vrai dire, j'estime que Dorothy est une petite fille très vivante et qu'elle pourrait avoir quelques jeux de plein air ! Une corde à sauter, par exemple... Un ballon... Cela lui permettrait de libérer son énergie.

— Qu'est-ce que c'est ? demanda Dorothy en écrasant son nez contre la vitrine. Dites-moi, mademoiselle Mountjoy, à quoi sert cette drôle de petite chose toute emplumée ?

— C'est un volant, Dorothy. Vous le lancez avec une raquette...

— Papa, j'aimerais jouer au volant avec mademoiselle Mountjoy !

Je rencontrai le regard de M. Tregarth. Il y avait une lueur amusée au fond de ses prunelles.

— Je suis vaincu ! avoua-t-il. Très bien, allons acheter un volant, et une corde à sauter, et des balles...

Un peu plus tard, suivis de Sim qui ployait sous le nombre de nos achats, nous regagnâmes la calèche.

— Je vais devoir vous quitter, déclara M. Tregarth. Où habite la couturière, mademoiselle Mountjoy ?

— Pas très loin, au coin de cette rue...

Il parut soudain soucieux.

— Lorsque je viens à Chollerford, j'ai l'habi-

tude de déjeuner aux « Sept Etoiles ». Mais un
jour de marché, il ne serait pas convenable que
vous et Dorothy preniez votre repas dans cette
auberge... Connaîtriez-vous un restaurant plus
calme ?

— Oui, Monsieur. Je connais un petit restaurant très paisible : « l'Arbre Vert ».

Je lui en donnai l'adresse et nous décidâmes de
nous retrouver là-bas à treize heures.

— Voulez-vous aller réserver une table, Sim ?
demanda M. Tregarth à son valet. Pendant ce
temps, mademoiselle Mountjoy et Dorothy m'ac-
compagneront jusqu'au Palais de Justice. Venez
nous y retrouver sans tarder, Sim ! Je tiens à ce
que vous accompagniez mademoiselle Mountjoy et
Dorothy partout... Plus tard, lorsque nous serons à
« l'Arbre Vert », vous pourrez aller déjeuner avec
le cocher aux « Sept Etoiles ».

Apparemment, il n'avait pas l'intention de me
laisser flâner dans Chollerford avec Dorothy sans
chaperon ! Nous le suivîmes donc au Palais de
Justice, et il attendit avec nous le retour de Sim.

— Puis-je commander ce qui me semble utile
pour Dorothy à la couturière, monsieur ? demandai-je.

— Naturellement !

Là-dessus, Sim arriva et M. Tregarth disparut
après nous avoir recommandé de bien nous trouver à treize heures au restaurant de « l'Arbre Vert ».

— Où allons-nous, mademoiselle ? demanda
le valet.

— Tout d'abord chez la couturière. Cela risque d'être assez long, Sim... Vous pourrez en profiter pour vous promener un peu en ville.

Il eut un large sourire.

— Merci, mademoiselle.

La couturière avait trois assistantes. Sa boutique regorgeait de coupons d'étoffes diverses, de toutes les matières et de toutes les couleurs.

Je commandai pour Dorothy un manteau bleu qu'elle porterait tous les jours, et un autre couleur crème pour les grandes occasions, avec un petit bonnet assorti. Puis je choisis plusieurs robes en cotonnade imprimée, ainsi que deux autres en broderie anglaise, qu'elle revêtirait le soir.

Je pris pour moi-même une robe bleu pâle. J'aurais aimé commander quelques autres vêtements, mais j'étais limitée au point de vue argent, et d'autre part, je préférais faire mes achats sans la compagnie de Dorothy, qui éprouvait le besoin de faire sans cesse des commentaires.

Sim apparut dans la boutique juste au moment où je demandais à ce que ces vêtements soient livrés au château, dès qu'ils seraient terminés.

— Il nous reste encore un peu de temps pour nous promener dans Chollerford ! déclarai-je joyeusement.

Je pris la main de Dorothy et nous nous perdîmes dans la foule, suivies de Sim qui ne nous quittait pas d'une semelle.

— Allons voir ce qu'ils vendent ! s'exclama Dorothy.

Elle se dirigea vers le marché aux volailles. Il y avait là des poulets en cage, des poussins entassés dans des paniers et également des lapins... Un peu plus loin était le marché aux bestiaux où un âne ne cessait de braire, couvrant les mugissements des vaches entourées de maquignons et de fermiers. Il y avait même un arracheur de dents perché sur une estrade en compagnie d'un joueur de tambour... Ce dernier était chargé de taper sur son tambour afin d'étouffer les cris du malheureux qui avait fait confiance au « dentiste » qui prétendait extraire les canines sans douleur.

Une gitane s'approcha de nous.

— Ah ! mademoiselle ! déclara-t-elle avec un fort accent, tandis que ses yeux sombres dans son visage brun me dévisageaient avec effronterie. Laissez-moi vous dire l'avenir ! Je vous dévoilerai ce qui vous attend si vous m'achetez un ruban !

— Non, merci, dis-je en souriant.

— Oh, si, Mademoiselle ! s'exclama Dorothy. Je vous en prie, achetez un ruban !

Je me laissai faire et sortis mon porte-monnaie.

La gitane prit ma main dans les siennes et étudia longuement ma paume.

— Eh bien ! je peux dire que beaucoup de bonheur vous attend ! Je vois une belle maison, des serviteurs...

Dorothy écoutait avec passion.

— Vous avez un ennemi, poursuivit la gitane. Méfiez-vous ! Mais après la moisson tous vos soucis disparaîtront...

Je voulus lui retirer ma main qu'elle retint.

— Attendez... Il y a un homme... Un homme que je vois triste...

Cette fois, je réussis à me dégager et entraînai Dorothy.

— Venez ! fis-je.

Je sentais que mes joues étaient brûlantes. Si Dorothy répétait tout cela à son père, qu'allait-il penser ?

— Ce sont des bêtises, déclarai-je plus sèchement que je ne l'aurais voulu. Mais ce ruban jaune est très joli, n'est-ce pas ? Il ira bien à votre poupée...

— Je vais passer le premier, suggéra Sim. Ainsi, je vous ferai un chemin au travers de la foule.

— Oui, c'est une bonne idée, Sim, approuvai-je. D'ailleurs je crois qu'il est temps que nous nous dirigions vers « l'Arbre Vert »...

— J'ai réservé une table près de la fenêtre. Je suis sûr que cela plaira à mademoiselle Dorothy.

Sim était un homme sympathique en qui j'avais confiance. Je me demandais parfois comment il avait pu autant m'intimider, le jour où j'étais venue pour la première fois au château. Comment n'avais-je alors pas deviné que c'était un brave homme ?

Nous rejoignîmes M. Tregarth, qui était arrivé avant nous à « l'Arbre vert ».

— Nous avons été chez la couturière, déclara Dorothy d'un air important. Je vais avoir beaucoup de vêtements, dont deux robes en broderie anglaise pour le soir... Mademoiselle Mountjoy aura une robe neuve !

— J'ai l'impression que vous avez fait des tas de choses, répondit son père avec un sourire. Quant à moi, je n'aurai pas à retourner au Palais de Jus-

tice après déjeuner. Si bien que nous pourrons
rentrer plus tôt que prévu...

— Savez-vous, papa, qu'une gitane a lu son
avenir dans la main de mademoiselle Mountjoy ?
Elle a dit...

— Des bêtises, l'interrompis-je.

Je me tournai vers M. Tregarth et lui expliquai
que nous avions été voir le marché.

— Sim était avec vous ?

— Naturellement, monsieur.

— Dans ce cas je n'y vois aucune objection.
Il est bon que Dorothy s'intéresse au monde extérieur. Nous vivons un peu en dehors de la vie, au
château.

La serveuse venait de poser devant nous un
plat appétissant composé de légumes divers et de
rôti de bœuf. L'atmosphère de ce restaurant était
aussi paisible que je l'avais dit, et M. Tregarth eut
un petit hochement de tête.

— Si vous avez l'occasion de revenir à Chollerford avec Dorothy, vous pouvez toutes deux
déjeuner ici. Cet endroit me semble très correct.

Notre expédition à Chollerford avait été un succès à tous les points de vue. Je me sentais toujours
un peu mal à l'aise lorsque je me trouvais en compagnie de M. Tregarth, mais il me fallait reconnaî-
tre que ce dernier m'appréciait beaucoup en tant
qu'institutrice, sinon il ne m'aurait pas laissé la
liberté de choisir moi-même les livres et les vêtements de sa fille.

Dès que nous fûmes de retour au château, je
demandai à Sim de monter nos paquets dans la nur-

sery. Dorothy commença à les déballer avec des cris de joie.

Quand elle ouvrit la boîte contenant les raquettes et le volant, elle voulut immédiatement jouer.

— Prenez l'autre raquette, mademoiselle Mountjoy !

Au lieu de cela, je la fis asseoir près de moi.

— Tous cela est très bien, Dorothy... Vous avez de nouveaux jouets, mais il ne faut pas oublier que nous avons également acheté des livres ! Dès demain nous commencerons à travailler, et ce sera seulement après avoir étudié que vous pourrez jouer. Est-ce bien clair ?

— Oui, mademoiselle. Je vous promets que je suis prête à apprendre à lire...

— A lire, et aussi à écrire, à compter... Nous avons du pain sur la planche ! Mais aujourd'hui, étant donné que la journée est déjà bien écourtée, je vous laisse jouer... Ce sera à partir de demain matin que je commencerai à vous donner des leçons.

Elle se mit à sauter à la corde, puis elle s'immobilisa soudain.

— Mademoiselle Mountjoy, avez-vous un amoureux ?

— Non, voyons ! Vous avez la tête pleine des sottises que Rosy vous a racontées !

— J'ai bien entendu la gitane parler d'un homme...

— Il ne faut pas écouter les gitanes, Dorothy !

— N'avez-vous pas envie d'avoir un amoureux, mademoiselle ?

— Cessez de dire des bêtises, Dorothy !

Un peu plus tard, alors que nous descendions dîner, je vis que Celia Hepton portait une merveilleuse robe mauve. Auprès d'elle, je me sentais terriblement institutrice pauvre, dans ma jupe noire et ma blouse de dentelle blanche !

— Nous avons passé une excellente journée à Chollerford, expliqua M. Tregarth. Mademoiselle Mountjoy a acheté des livres et commandé des robes pour Dorothy.

— Très bien ! dit Mlle Hepton avec un petit signe de tête protecteur. Il y a donc des couturières convenable à Chollerford ? Je ne puis pas comprendre qu'on souhaite s'habiller ailleurs qu'à Londres... Quand Dorothy sera un peu plus grande, il faudra la conduire chez les meilleurs couturiers londoniens !

Alors que nous en étions au dessert, M. Tregarth dit à sa fille qu'il était disposé à jouer aux cartes avec elle pendant une demi-heure.

— Et ensuite mademoiselle Mountjoy viendra te chercher pour te mettre au lit.

Nous nous levâmes de table, et, s'adressant à Mlle Hepton, il lui demanda si elle m'avait fait visiter ses appartements.

— Pas encore.

— Peut-être pourriez-vous les lui montrer maintenant ?

Il y avait une nuance d'autorité dans sa voix. Je suivis Celia Hepton, persuadée qu'il lui déplaisait tout autant de m'inviter chez elle qu'il m'était désagréable de l'accompagner.

Tout en marchant derrière elle, j'admirais la

perfection de la coupe de sa robe. Avait-elle sa propre femme de chambre ? Disposait-elle d'une fortune personnelle ? Toutes ces questions se posaient à moi tandis que j'allais à sa suite dans les couloirs de ce château où elle avait passé la plus grande partie de sa vie avec son père, rendant ainsi l'existence de Lionel Tregarth beaucoup moins solitaire.

— Voici mon salon, déclara fièrement Mlle Hepton.

C'était une pièce meublée avec beaucoup de goût. Un épais tapis et des rideaux de velours couleur bordeaux accentuaient l'impression de confort et d'intimité de ce salon décoré de nombreux bibelots et très fleuri.

Un détail m'intrigua : il y avait au mur de nombreuses photographies d'hommes en uniforme. Je remarquai également que plusieurs pipes étaient disposées sur une table, auprès d'une épée étincelante.

Celia Hepton répondit à ma question informulée :

— Lorsque mon père vivait encore, il se tenait souvent ici.

— C'est très joli, dis-je avec sincérité. Vous avez un sens inné de la décoration...

Elle me fit ensuite entrer dans sa salle à manger, et je fus de nouveau impressionnée par le luxe de cette pièce. Mais pourquoi descendait-elle prendre ses repas avec Henry Tregarth, puisqu'elle avait sa propre salle à manger ? Elle aurait pu, si elle le souhaitait, mener une vie tout à fait indépendante.

— Ma chambre est de l'autre côté de ce petit couloir...

Elle en ouvrit la porte. Cette pièce était ravissante ! Toute une collection de brosses en argent se trouvait alignée sur sa table de toilette que surmontait une grande glace entourée d'un cadre doré. Son lit à baldaquin était recouvert de mousseline blanche volantée. J'admirai également son bureau, sa bibliothèque, et les immenses armoires qui devaient contenir quantité de toilettes à la mode.

— C'est ma femme de chambre, Tessa, qui est chargée de l'entretien de ces pièces.

Je me rendais compte qu'elle souhaitait me voir réaliser combien était vertigineuse la différence qui séparait nos positions...

Lorsque nous retournâmes au salon, elle m'invita à m'asseoir. Je ne fus pas insensible à la condescendance de son ton...

Elle s'assit en face de moi et se lança dans un discours que je la soupçonnai d'avoir préparé à l'avance :

— Monsieur Tregarth est loin de tout savoir du domaine ! Mon père avait pris l'habitude de seconder oncle Lionel dans toutes ses affaires, et j'étais également au courant. En dehors de cela, nous allions beaucoup chasser à courre. Oncle Lionel était un fervent de la chasse, autrefois, puis il s'en est désintéressé... En ce moment, je ne m'occupe plus guère du domaine, puisque monsieur Tregarth veut tout reprendre en mains. Je me contente de l'aider à classer les livres de la bibliothèque, ce qui représente un énorme travail, étant donné le nombre d'ouvrages...

Elle contempla le bout de ses ongles d'un air soucieux — comme si elle craignait de s'abîmer les mains en travaillant si durement. Puis elle poursuivit :

— Monsieur Tregarth s'inquiétait au sujet de Dorothy, en dépit de mes protestations : Rosy était tout à fait capable de s'en occuper provisoirement, et il m'arrivait de l'amener ici pour lui jouer un peu de piano. Vous savez probablement que je tiens au château le rôle de maîtresse de maison... Cela ennuyait monsieur Tregarth au début : il craignait que les mauvaises langues ne salissent ma réputation. Mais qui se soucie de cela ? Les serviteurs comprennent la situation, et mes amis me connaissent bien !

Elle eut un petit soupir.

— Je crois que monsieur Tregarth a eu raison de vous engager. Il sera ainsi moins inquiet pour sa fille. Dorothy n'est pas une petite fille commode... Dès que je passais une heure avec elle, j'étais épuisée ! Ces questions incessantes, cette énergie à dépenser ! Elle m'aurait rendue folle !

Ce qu'elle m'apprenait ne m'étonnait guère. Elle n'avait certainement aucune patience avec les enfants !

— Vous ne serez plus obligée de dormir dans la nursery d'ici un jour ou deux : la Chambre Bleue va être prête, me dit-elle soudain alors que je m'apprêtais à la quitter.

— Merci, dis-je en me levant.

A ma grande surprise, elle se leva également.

— Je viens de me souvenir brusquement que j'ai quelque chose à rappeler à monsieur Tregarth...

Nous redescendîmes. Elle frappa à la porte de la bibliothèque et l'ouvrit sans même attendre la réponse. Monsieur Tregarth et sa fille étaient en train de jouer aux cartes.

— Nous avons presque fini notre bataille ! Et je gagne ! s'écria Dorothy d'un air ravi.

Ils terminèrent leur partie en quelques minutes et j'emmenai Dorothy après qu'elle eut embrassé son père. Au moment où je refermai la porte, j'entendis Mlle Hepton lancer avec animation :

— Il m'est venu cet après-midi une idée dont j'ai voulu vous faire part...

Je n'en entendis pas plus. Curieusement, j'avais le sentiment que Mlle Hepton avait saisi n'importe quel prétexte pour se trouver tête-à-tête avec le Jeune Châtelain.

Je mis Dorothy au lit et m'assis auprès du feu, me remémorant les événements de cette journée. Je revis l'appartement de Mlle Hepton et une certaine envie s'empara de moi... Puis je l'imaginai seule avec M. Tregarth dans la bibliothèque... Elle le trouvait sympathique, c'était évident. Plus que sympathique ! Etait-elle amoureuse de lui ?

Je me sentis soudain très seule. Et je n'avais personne à qui me confier, à l'exception de Mollie... Mais Mollie n'aurait rien compris au tourbillon de pensées diverses et contradictoires qui m'agitaient.

Bien sûr, mes cheveux étaient sévèrement tressés en chignon et mes vêtements étaient très austères.

Pourtant, mon cœur ne demandait qu'à battre ! Je rêvais d'aimer et d'être aimée.

Un peu plus tard, alors que je brossais mes longs cheveux devant un étroit miroir, je me dis avec une certaine amertume que je n'aurais jamais, comme Celia Hepton, la chance d'avoir une femme de chambre...

J'avais tort de me plaindre ! Mon sort, sans être enviable, était très acceptable : j'avais une situation, et le Jeune Châtelain avait promis de faire remettre en état un des cottages du village à mon intention.

CHAPITRE V

— Quelle drôle d'odeur ! s'exclama Dorothy en fronçant son petit nez. D'où cela peut-il bien provenir ?

— Tout simplement du fait que cette pièce n'a pas été habitée depuis de longues années, dis-je en regardant autour de moi.

La Chambre Bleue était prête, et j'aurais été difficile si j'avais fait la fine bouche ! Le mobilier était en bois de rose orné de poignées de bronze étincelantes, car elles venaient d'être astiquées. En face du lit à baldaquin était suspendue une immense tapisserie qui occupait tout le mur. Cette tapisserie représentait la Cène : Jésus entouré de ses disciples.

Suivie de Dorothy, je m'en approchai et déchiffrai la signature qui était brodée dans un coin : Jane Tregarth. Une date suivait : 1804.

— Vous qui savez tout juste faire un point de croix, Dorothy, pouvez-vous imaginer les années de travail que représente l'exécution d'un tel ouvrage ? Pensez à cette femme assise devant ces mètres carrés de tapisserie...

— Cette femme ? Qui ?

— Essayez de lire le nom.

— Tregarth ! Comme moi !

— Jane Tregarth, dis-je.

— Qui est-ce ?

— Votre père le sait probablement.

— Est-elle morte ?

— Je le suppose.

— Comme maman..., fit-elle dans un petit soupir.

C'était la première fois qu'elle parlait de sa mère, et je jugeai qu'il fallait considérer cela positivement.

— N'est-ce pas une jolie chambre ? demandai-je.

— Si. Mais elle est hantée, Rosy me l'a dit. Une femme se promène la nuit dans cette pièce en pleurant...

— Je n'ai pas peur des fantômes, assurai-je. Si j'entends quelqu'un pleurer, je lui demanderai pourquoi.

Le soir-même, après le dîner, Dorothy parla de la tapisserie à son père.

— Je crois que Jane Tregarth était une de mes grands-tantes...

Il se tourna vers moi et me demanda si la Chambre Bleue me plaisait.

— Beaucoup, merci. Je m'y installerai dès ce soir.

— Papa, est-ce vrai que la Chambre Bleue est hantée ?

— Non, ma chérie. Les fantômes n'existent pas !

Celia Hepton eut un étrange petit sourire.

— Dorothy a entendu les ragots des serviteurs ! Il paraît qu'une femme marche de long en large dans cette chambre en se tordant les mains et en pleurant !

— Quelle imagination ! s'étonna M. Tregarth. Je n'ai jamais entendu parler de cela... Il est vrai que je n'habite le château que depuis peu !

Celia avait toujours son curieux sourire et je me sentis brusquement mal à l'aise.

Plus tard, lorsque je me retrouvai seule dans la Chambre Bleue, cette conversation me revint à la mémoire. Je n'étais pas peureuse, je ne croyais pas aux revenants, et pourtant j'étais vaguement inquiète...

Je demeurai pendant plusieurs heures assise devant la cheminée de ma nouvelle chambre. Je n'avais pas sommeil et ne pouvais me résoudre à me coucher.

La pièce était étonnamment silencieuse — à l'exception du tic-tac de la pendule —, et quand un bruit dont je ne parvins pas à définir l'origine retentit, je ne pus réprimer un tressaillement.

Je crispai mes mains. Mon cœur battait très fort dans ma poitrine et j'avais froid dans le dos.

Quelqu'un pleurait... Très bas, très faiblement... Mais je ne rêvais pas ! C'était bien le son d'un sanglot !

— Qui est là ?

Pas de réponse. J'ouvris la porte de ma chambre, il n'y avait personne dans le couloir. J'allai

jusqu'à la nursery où Dorothy dormait paisiblement.

Effrayée et inquiète, je regagnai la Chambre
Bleue. Tout était maintenant tranquille... N'était-ce
que dans mon imagination qu'il y avait eu ces bruits
de pleurs ?

Je ne parvins à m'endormir qu'à l'aube. Le lendemain matin, je récapitulai les étranges événements
de cette nuit. Je ne voulais pas croire à l'existence
des fantômes... Pourtant, j'étais persuadée ne pas
avoir rêvé.

D'autre part, il ne m'était pas possible d'aller
trouver le Jeune Châtelain en lui expliquant ce qui
m'était arrivé. Il aurait pensé que je devenais
folle...

J'examinai soigneusement les moindres recoins
de ma chambre à la lumière du jour et remarquai
que la tapisserie était abîmée par plusieurs taches
d'humidité. Si on ne la transportait pas dans un
endroit plus sec, elle risquait d'être perdue !

*
**

— Barrie a été très sage, Clara. Il n'a pas
quitté la porte... On aurait cru qu'il vous attendait !

Mon chien m'avait fait une fête folle, tandis que
je racontais à Mollie comment s'étaient passés les
premiers temps de mon séjour au château.

Je lui parlai de Dorothy, de son père, des serviteurs, et je mentionnai également Celia Hepton.

— Une jeune fille ! s'exclama Mollie en hochant

la tête. Vous verrez que tout cela se terminera par un mariage !

— Mariage ou pas, je crois que mon poste est stable, assurai-je.

Mollie semblait heureuse de me voir. Je n'avais pas eu le temps de la prévenir, mais j'étais presque sûre de la trouver car elle ne quittait guère sa petite maison.

L'un des valets m'avait amenée au village dans le tilbury, car je devais commencer à sélectionner les objets que je voulais garder en prévision du déménagement qu'il me fallait, hélas, envisager.

Je pris la clé que j'avais confiée à Mollie et me dirigeai vers ce moulin qui avait été mon foyer pendant de si longues années. Barrie me suivit en aboyant joyeusement.

Le pauvre chien s'imaginait que j'étais revenue pour toujours et que nous retournions vivre au moulin... Cela me rendit triste, et mon chagrin augmenta quand je pénétrai dans la cuisine.

La peinture des murs s'écaillait, l'une des fenêtres était brisée... Tout ce décor misérable me sauta aux yeux. Comme le moulin était différent du luxe du château !

Mollie s'était occupée de ma petite basse-cour. J'avais cependant promis à Dorothy de lui rapporter quelques œufs, car elle semblait penser qu'ils étaient très différents de ceux qu'elle avait l'habitude de manger...

Elle faisait des progrès, quoiqu'elle ait certaines difficultés à se concentrer longtemps. Une question en amenait une autre et en quelques minutes, si je n'y prenais pas garde, nous pouvions nous trouver très loin du sujet préalablement traité.

Elle avait beaucoup insisté pour que je l'amène au village, je lui avais parlé du moulin, de Barrie, de Mollie, et elle rêvait de les voir.

J'étais en train de ranger la cuisine lorsque quelqu'un frappa à la porte. Barrie se mit à aboyer férocement tandis que j'allais ouvrir.

Un homme d'une trentaine d'années se tenait sur le seuil. Ce n'était pas un habitant du village, et ce n'était pas vraiment un homme de la ville. Il était assez difficile à situer...

— Bonjour, mademoiselle. Je vous ai vue par la fenêtre et je me suis permis de venir... Il paraît que le Châtelain cherche un meunier, j'ai entendu dire cela à Chollerford, dont je suis. Est-ce vrai ?

J'étais tellement surprise que, sur le moment, je ne trouvai rien à répondre tandis qu'il me fixait avec une admiration non dissimulée.

— C'est exact, dis-je enfin.

Je ne l'invitai pas à entrer. Barrie, derrière moi, grondait d'une manière menaçante.

— Eh bien ! je suis intéressé, déclara-t-il vivement. Je suis meunier de mon état et suis en quête d'un moulin ! Habitez-vous ici ?

— Si vous désirez louer le moulin, vous devez vous adresser à monsieur Tregarth, dis-je avec une certaine froideur, sans répondre à sa question directe, car je jugeais que je n'avais pas à mettre un inconnu au courant de ma vie privée.

— On m'a appris au village que vous n'habitiez pas ici, poursuivit-il. Il paraît que vous êtes la gouvernante de la fille du Jeune Châtelain...

— Ah ! oui ? Pourquoi donc me posez-vous des questions si vous pouvez tout savoir au village...

Il ne se froissa pas et continua à parler.

— Je sais comment vous vous appelez, Clara Mountjoy ! Quant à moi, je suis Abel Wilks, et je vous serais très reconnaissante de bien vouloir me faire visiter les lieux...

Il n'était pas question que je lui montre la maison !

— Je vais vous amener au moulin, dis-je après une légère hésitation.

Je m'emparai de la clé et allai jusqu'au moulin avec lui. Le chien ne me quittait pas...

— Est-il vrai que le moulin n'a pas été utilisé depuis plusieurs années ? demanda mon compagnon, chemin faisant.

— Oui, mon père a été le dernier meunier ici, et il est mort avant ma naissance.

Je lui tendis la clé.

— Essayez d'ouvrvir. Je sais que la serrure est très dure...

Il tourna la clé avec une force tempérée de douceur, un peu à la manière du bourrelier, et quand la porte s'ouvrit, la même odeur de moisi et d'humidité me sauta aux narines.

Abel Wilks pénétra à l'intérieur du moulin et voulut monter l'escalier.

— Attention ! m'exclamai-je. Les marches ne doivent pas être bien solides...

Mais il était déjà en haut et j'entendis son pas

faire craquer les vieilles planches. Je demeurai sur
le seuil, et Barrie s'assit à côté de moi... Il semblait avoir oublié ses préventions à l'égard de notre
visiteur.

Abel Wilks redescendit peu après.

— Tout cela a besoin d'un sérieux nettoyage...
Il faudra également prévoir quelques réparations,
mais je crois que le moulin pourra bientôt fonctionner !

Il referma la porte à clé et j'eus la curieuse
impression qu'il prenait déjà un air de propriétaire.

— Ainsi vous n'avez jamais vu le moulin en
marche ? me demanda-t-il.

— Non. Jamais...

— J'ai entendu dire que le Vieux Châtelain ne
s'intéressait guère à son domaine ! Avez-vous vécu
longtemps ici ?

— Pendant toute ma vie.

— Mais plus maintenant ?

Ses multiples questions m'agaçaient. Cependant, étant donné les circonstances, je me crus
obligée de lui dire la vérité :

— J'ai la possibilité d'occuper le moulin jusqu'après la moisson, mais je vis actuellement au
château puisque je suis l'institutrice de la fille du
Jeune Châtelain. Si je me trouve ici aujourd'hui,
c'est parce que j'ai quelques rangements à faire...
Bientôt j'occuperai l'un des cottages inhabités du
village ! Je regrette de devoir quitter le moulin...

— Si je m'installe ici comme meunier..., commença Abel Wilks.

Il s'interrompit brusquement, tandis qu'il me

détaillait des pieds à la tête avec un intérêt mal dissimulé.

— Excusez-moi, dis-je brièvement, mais j'ai du travail. Au revoir...

Je lui pris la clé des mains et retournai dans la maison. Puis peu après, je repartis chez Mollie, à qui je parlai d'Abel Wilks. Tout en lui racontant la visite du meunier, je regardais son cottage... Je me souvins de sa suggestion et pensai subitement que son idée de le partager n'était pas si mauvaise. Puisque M. Tregarth avait l'intention de réparer une maisonnette pour moi, pourquoi ne ferait-il pas remettre en état celle de Mollie ?

— A quoi pensez-vous donc, Clara ?

— Je réfléchissais à la proposition que vous m'aviez faite de partager votre cottage.

Son visage s'illumina.

— Vous comprenez maintenant qu'il serait plus raisonnable que vous ne viviez pas seule ?

Je hochai lentement la tête.

— Oui...

— Je suppose que ce meunier voudra s'installer le plus rapidement possible, si le Jeune Châtelain accepte de lui louer le moulin. Vous devriez apporter vos affaires sans tarder, Clara... Vous serez beaucoup mieux avec moi, plutôt qu'à essayer de repousser tous les jeunes gens des environs ! Je suis sûre que votre grand-mère aurait été également de cet avis !

Je me sentis soudain soulagée. Et en même temps, j'avais hâte de rentrer au château pour parler de mon projet à Henry Tregarth. Je ne tardai

donc pas à rentrer et je reçus un accueil enthou-
siaste de Dorothy qui me submergea sous un flot de
questions.

Après dîner, je demandai à M. Tregarth s'il
pouvait m'accorder un bref entretien.

— Bien sûr. Dès que Dorothy sera couchée, je
vous recevrai dans la bibliothèque.

— Merci, monsieur.

Après avoir lu une courte histoire à Dorothy comme j'avais coutume de le faire, je la bordai
puis redescendis. Une certaine nervosité s'était
emparée de moi et ce fut avec une appréhension
assez inexplicable que je frappai à la porte de la
bibliothèque.

— Ah, mademoiselle Mountjoy..., dit le Jeune
Châtelain. Ma fille est couchée, je suppose. ?

— Oui, monsieur.

— Que diriez-vous d'un verre de sherry ?

J'acceptai son offre, curieuse de goûter ce breu-
vage dans lequel je n'avais encore jamais trempé
mes lèvres.

— Comme vous le savez, j'ai passé une partie
de ma journée au moulin et tandis que j'étais là-
bas, j'ai repensé à l'offre que vous m'aviez aima-
blement faite de réparer un cottage... Or, Mollie
Treen, une amie de ma grand-mère, est tout à fait
disposée à m'héberger chez elle. S'il était possible
d'effectuer quelques travaux de réparation indispensables dans sa maison, je pourrais partager ce
cottage...

— Vous préférez cette solution ?

— Je pense qu'elle est meilleure.

— Vous êtes très raisonnable, déclara-t-il. Eh bien, c'est entendu !

— Merci, monsieur. Autre chose... J'ai reçu la visite d'un meunier se disant intéressé par le moulin. Il m'a demandé de lui faire visiter.

— Connaissez-vous cet homme ?

— Je ne l'avais jamais vu.

— Vous auriez dû l'envoyer au château. Vous n'êtes plus chargée du moulin désormais... J'ai l'intention de faire passer une annonce dans le journal de Chollerford, et si cet homme est réellement intéressé, il saura ainsi à qui s'adresser.

Il but quelques gorgées de sherry puis hocha la tête.

— Je vous approuve dans votre décision de partager un logement. C'est une étrange façon de vivre, pour une jeune fille, que d'être seule...

— Les circonstances m'y ont obligée...

Le sherry avait complètement emporté ma timidité et j'ajoutai presque avec défi :

— Je suis un peu dans le même cas que mademoiselle Hepton.

Il me jeta un coup d'œil étonné.

— Pas tout à fait ! Mademoiselle Hepton est loin d'être seule au château...

Il termina son verre et leva la main.

— Puisque vous êtes là, mademoiselle Mountjoy, nous pourrions parler des leçons d'équitation que j'ai l'intention de faire donner à Dorothy. Vous ne montez pas à cheval, m'avez-vous dit ?

— Non, monsieur.

— J'ai pensé qu'il serait beaucoup mieux pour

Dorothy que vous preniez également des leçons
d'équitation. Seriez-vous d'accord ?

— Oh, oui ! m'exclamai-je. Mais...

— Mais quoi ?

— Je ne possède pas de tenue d'amazone...

— Je m'en doutais. Voilà pourquoi je vous pro-
pose d'aller à Chollerford commander deux tenues
d'équitation, l'une pour Dorothy, l'autre pour vous...
De la couleur qui vous plaira ! Naturellement, la
facture devra m'être adressée...

Je dus rougir violemment et il comprit la raison de ma gêne.

— Considérez cette tenue d'amazone comme un
complément indispensable à votre situation ac-
tuelle...

— Je préférerais acheter mon costume moi-
même.

Il haussa les épaules.

— Je ne comprends pas bien vos scrupules.

Il m'était difficile de lui expliquer clairement
ce que je ne ressentais que confusément. En réalité, j'étais d'un caractère relativement indépendant ; si je trouvais logique et normal d'être payée
pour mon travail, je ne voyais pas pourquoi je me
ferais offrir certains de mes vêtements...

— Je crois que nous avons abordé tous les sujets que nous avions à discuter ce soir, mademoiselle
Mountjoy.

Je me levai.

— Merci, monsieur. Je suis contente d'apprendre que le cottage de Mollie sera bientôt réparé...

Il m'adressa un petit signe de tête assez sec au moment où je quittais la pièce.

Henry Tregarth était un homme difficile à analyser ! Il avait de toute évidence des idées bien arrêtées concernant la façon dont le domaine devait être mené, et il n'appréciait guère la contradiction. Il avait été visiblement agacé quand j'avais insisté pour acheter moi-même ma tenue d'amazone...

Et il refusait d'admettre qu'il y ait quelque ressemblance entre la situation de Celia Hepton et la mienne !

Pourtant nous avions vécu toutes deux sur des propriétés appartenant aux Tregarth... Mais Celia n'avait pas reçu son congé pour « après la moisson » ! Elle vivait sous le même toit que le Jeune Châtelain sans chaperon...

Je repensai à la prophétie de Mollie. « Tout cela se terminera par un mariage ! » avait-elle assuré... J'étais persuadée que Celia Hepton ne demandait que cela ! Elle voulait le château c'était évident. La façon dont elle parlait du domaine, la manière dont elle traversait les grandes pièces en cours de réfection prouvaient que son plus cher désir était de posséder un jour cette propriété.

Après avoir raccommodé une robe de poupée dans la nursery, je regagnai ma chambre. J'avais laissé la fenêtre ouverte, mais cela n'empêchait pas une faible odeur d'humidité de persister. Il me sembla que les taches que j'avais remarquées sur la tapisserie s'étaient agrandies.

Alors que j'étais sur le point de me coucher, il y eut un léger bruit... Mon cœur se glaça tandis que je m'immobilisais. Je ne me trompais pas, je ne rêvais pas : quelqu'un sanglotait doucement. Mais où ?

Comme la nuit précédente, je me rendis dans la chambre de Dorothy qui dormait profondément. Pendant un long moment, je demeurai auprès d'elle, ne pouvant me résoudre à regagner ma chambre...

J'avais déclaré avec force que les fantômes n'existaient pas, et maintenant j'en étais moins sûre.

Que pouvais-je faire ? Je ne pouvais envisager de parler de ces sanglots à M. Tregarth... Déjà, je voyais ses sourcils se hausser et son regard devenir sarcastique. Celia Hepton aurait ironisé avec mépris... Il m'était impossible de me confier à qui que ce soit. Et si Dorothy pouvait supposer que je craignais les revenants, elle aurait été affolée !

Ce fut seulement très tard dans la nuit que je regagnai la Chambre Bleue. Tout était silencieux... Je me couchai et la fatigue eut raison de moi.

*
* *

Le lendemain matin, ce fut le bruit de la pluie frappant mes vitres qui me réveilla. Le ciel était très sombre, et un grand vent agitait les branches.

La pluie devait inonder le mur sur lequel était accrochée la tapisserie. Il y avait d'ailleurs de nouvelles taches d'humidité et la partie inférieure en était mouillée. C'était probablement la raison de cette odeur de moisi qui envahissait la Chambre Bleue ! La tapisserie s'abîmait, risquait peut-être

d'être perdue si on la laissait sur ce mur mal pro-
tégé.

Devais-je en parler à M. Tregarth ?

Sans plus réfléchir, je descendis à la bibliothèque où je fus assez surprise de trouver également
Celia Hepton. Tous deux semblaient extrêmement
occupés à répertorier des piles de livres.

— Excusez-moi de vous déranger, monsieur.
Mais j'ai remarqué que ma chambre est très humide
et je crains que la tapisserie qui orne l'un des murs
ne s'abîme...

— Dans ce cas, il faut l'enlever. Je vais demander à Sim de s'en occuper... Peut-être faudra-t-il
envisager des réparations, il n'est pas normal que
l'humidité pénètre ainsi dans une pièce !

Dans le courant de l'après-midi, alors que j'étais
dans la salle de classe en compagnie de Dorothy,
Sim apparut avec une échelle et quelques outils.

— Allons le voir travailler ! supplia Dorothy.

Nous rejoignîmes Sim dans la Chambre Bleue.

— Ce ne sera pas bien long, me prévint-il. Il
suffit simplement d'ôter ces quelques clous...

Il se mit en devoir de les arracher à l'aide
d'une pince.

— C'est bizarre, grommela-t-il. Il n'y a pas de
papier, ni même de plâtre... La tapisserie était posée
directement sur les pierres, voici pourquoi votre
chambre était si humide, mademoiselle.

Dorothy fit une grimace en regardant les pierres apparentes.

— Pourquoi est-ce ainsi ? C'est vilain...

J'étais bien de son avis ! La Chambre Bleue paraissait fort inhospitalière désormais...

Je n'avais plus envie de dormir ici... Tout d'abord parce que ce mur nu évoquait un mur de prison. Ensuite à cause de l'odeur de moisi et d'humidité qui semblait avoir décuplé... Et enfin, j'étais épouvantée à l'idée d'entendre de nouveau au cours de la nuit ces terrifiants sanglots.

Pourquoi ne dormirais-je pas dans la nursery, comme je l'avais fait durant les premiers temps de mon séjour au château ?

Le soir venu, je retournais ces pensées dans ma tête, tout en regardant Dorothy paisiblement endormie, quand je ressentis l'envie irrépressible de me rendre dans la Chambre Bleue...

Je traversai le corridor en hâte et poussai la porte. On avait balayé les débris de ciment qui étaient tombés quand Sim avait ôté la tapisserie, mais cette pièce me semblait toujours peu accueillante !

Je m'approchai du mur nu et en examinai soigneusement les pierres. L'une d'elles était presque complètement descellée. Mûe par une curiosité inexplicable, je traînai une chaise et montai dessus pour arriver à son niveau. A deux mains, je réussis à l'ébranler... Quelque chose de brillant apparut dans l'interstice ainsi ménagé.

Redoublant d'efforts, je parvins à déloger la pierre de sa cavité. Un bracelet brillait dans l'ombre... Un bracelet d'or, très large, assez grossièrement travaillé, qui affectait la forme d'un serpent dont deux pierres scintillantes d'un rouge foncé figuraient les yeux.

Je voulus m'en emparer et m'aperçus alors qu'il était retenu par les pierres et les gravats. Je tentai de le dégager et un gémissement épouvanté m'échappa : ce que j'avais pris pour des gravats était des ossements !

Mes mains tremblaient quand je remis la pierre en place. Je regagnai très vite la nursery, le cœur battant, horrifiée... Jamais je n'accepterais plus de dormir dans cette chambre dont la tapisserie avait été utilisée pour dissimuler quelque épouvantable secret...

Il était beaucoup trop tard pour que je descende prévenir M. Tregarth, qui devait s'être retiré dans ses appartements. Une chose était sûre : Dorothy ne devait pas être mise au courant de cette macabre découverte.

Je m'allongeai dans le lit jumeau. Je frissonnais toujours et par instants, mes dents s'entrechoquaient.

*
**

Le lendemain matin, après avoir installé Dorothy à son bureau avec sa boîte de peintures et plusieurs feuilles de papier blanc, je descendis à la bibliothèque où M. Tregarth finissait à peine son petit déjeuner.

— Excusez-moi de vous déranger à une heure aussi matinale, monsieur, mais j'ai découvert cette nuit quelque chose dans ma chambre qui... que...

Il leva un sourcil.

— De quoi s'agit-il donc, mademoiselle ? Vous semblez terriblement troublée...

— Sim a décroché la tapisserie du mur hier après-midi, expliquai-je. Il n'y avait derrière cette tapisserie ni papier peint, ni même de plâtre... Simplement les pierres du mur. L'odeur d'humidité et de moisi me parut avoir décuplé et dans le courant de la nuit, j'ai découvert...

Je m'interrompis et me remis à trembler.

— Oui, mademoiselle, dit patiemment le Jeune Châtelain. Qu'avez-vous découvert ?

— Un bracelet. Et... des os. Le bracelet entourait des ossements !

Il eut un léger tressaillement.

— Des ossements ? répéta-t-il avec incrédulité. En êtes-vous certaine ? De toute façon, il ne faut pas que Dorothy entre dans cette chambre...

— Naturellement, monsieur. Il fait très beau ce matin et j'ai l'intention de l'emmener promener pendant que les... les investigations nécessaires seront faites.

— Comptez sur moi.

Dans le courant de la matinée, le mur révéla son terrible secret. On en exhuma le squelette d'une femme portant à son poignet droit le bracelet que j'avais découvert, et à son annulaire gauche une alliance.

CHAPITRE VI

— Vous monterez Star, mademoiselle Dorothy, déclara William, le responsable des écuries. C'est le plus gentil des poneys ! Mademoiselle Mountjoy montera Kimono, qui est un cheval très calme... Vous n'avez pas peur, mademoiselle Dorothy ?

— Bien sûr que non, s'écria Dorothy avec détermination.

Nous nous tenions toutes deux, en compagnie de M. Tregarth, à l'entrée des écuries. Les croupes des chevaux luisaient doucement dans la semi-pénombre, où une bonne odeur de paille fraîche régnait.

Un groom sortit Star de son box et l'amena auprès de Dorothy. William la mit en selle, puis demanda au groom d'aller chercher Kimono, qui était déjà sellé.

— Je vais tenir les rênes de votre poney, mademoiselle Dorothy, expliqua William, et Charles, le groom, tiendra celles du cheval de mademoiselle Mountjoy. Tout va bien ?

— Tout va bien, assura Dorothy. Je me sens un peu secouée quand Star marche, mais c'est amusant...

Son père m'avait raconté qu'elle s'était trouvée dans une calèche qui avait versé après que les chevaux se soient emballés, et que sa crainte des chevaux datait probablement de ce jour.

J'étais surprise de la voir aussi courageuse, et je me dis que son père avait eu raison lorsqu'il avait suggéré que je prenne des leçons d'équitation en même temps qu'elle. Elle se sentait ainsi beaucoup plus rassurée...

J'étais ravie d'apprendre à monter à cheval. Cela avait toujours été un de mes rêves que je ne pensais pas voir devenir un jour, réalité !

J'avais ressenti un certain sentiment d'envie en voyant Celia Hepton galoper dans la campagne avec aisance...

On aurait cru qu'elle faisait corps avec sa monture et j'avais hâte de posséder un certain sens de l'art équestre pour pouvoir, moi aussi, aller comme le vent dans la plaine...

Charles conduisait mon cheval au pas sur la pelouse qui s'étendait devant l'écurie. Devant nous, William tenait le poney de Dorothy... Le soleil brillait et je me sentis soudain heureuse.

Le Jeune Châtelain m'avait demandé d'oublier la Chambre Bleue... C'était difficile, mais je m'y efforçais. Les policiers de Chollerford, après avoir mené une enquête à la suite de la découverte du squelette emmuré, s'étaient trouvés dans l'impossibilité d'établir l'identité de cette femme qui se trouvait probablement là depuis de nombreuses années.

Aucun des serviteurs du château n'avait pu aider l'enquête à progresser en dépit des ragots qui allaient bon train. J'avais pris Rosy à part et l'avais menacée de renvoi si elle parlait de cette histoire à Dorothy...

Bien sûr, il m'aurait été difficile de congédier une domestique, mais je savais que M. Tregarth n'aurait pas hésité à le faire, car il tenait à ce que sa fille reste à l'écart de cette sordide affaire.

La Chambre Bleue se trouvait à nouveau fermée à clé, et Celia m'avait attribué une jolie chambre proche de la nursery.

Mais ce matin, dans un rayon de soleil, fièrement campée sur Kimono, je n'avais pas envie de me rappeler ce drame...

— Je commence à m'habituer, mademoiselle Mountjoy ! s'écria Dorothy. Le seul ennui, c'est que je me trouve perchée bien haut !

— Moi aussi ! avouai-je.

Tandis que nous continuions à tourner au pas sur la pelouse, Celia apparut sur son grand cheval gris et nous adressa un sourire condescendant.

— Une première leçon, je suppose..., dit-elle dédaigneusement.

Elle éperonna son cheval qui partit au grand galop. Elle tenait à me démontrer sans paroles superflues que j'étais loin de posséder sa maîtrise ! Je sentais qu'elle me considérait avec mépris parce que je ne savais pas monter à cheval, et je devinais aussi qu'elle était jalouse parce que le Jeune Châtelain m'offrait des leçons.

Au bout d'une heure au cours de laquelle William nous prodigua de nombreux conseils, je vis que M. Tregarth, qui était rentré au château, revenait vers les écuries.

— Regardez, papa ! s'écria Dorothy. Je sais monter !

Elle se redressa sur sa selle, tandis que son père souriait avec fierté.

— Splendide !

— Et mademoiselle sait monter ! ajouta Dorothy.

— Mademoiselle Mountjoy est également splendide, dit gravement le Jeune Châtelain.

Nos regards se rencontrèrent.

— Vous êtes toutes les deux splendides à cheval, dit-il d'un ton léger avant de disparaître.

*
**

Ce soir-là, les Wood, des châtelains du voisinage, devaient venir dîner au château. En conséquence, Dorothy et moi prendrions notre repas à la nursery, ce qui était loin de me déplaire, car je trouvais les manières qu'affectait Celia Hepton à mon égard de plus en plus difficiles à supporter.

Malgré les recommandations de M. Tregarth, je ne pouvais m'empêcher de songer souvent à la Chambre Bleue. La pensée que j'avais dormi dans cette pièce me donnait des frissons rétrospectifs...

Je me remémorais également les sanglots que j'avais très clairement entendus à deux reprises, et dont je n'avais osé parler à personne. Cette chambre était-elle hantée ? La jeune femme qu'on avait emmurée là se trouvait-elle désormais en paix ?

Ses restes avaient été enterrés au cimetière du village, et on avait placé dessus une pierre sur laquelle on aurait été bien incapable de graver un nom ou une date...

J'occupais maintenant une chambre aux rideaux un peu passés et au lourd mobilier d'acajou. C'était une pièce agréable, et certainement sans histoires... Ici, je me sentais en sécurité, il n'y avait ni fantôme, ni squelette, j'en étais persuadée !

Mais je garderais probablement toujours dans mon esprit le bruit des sanglots qui m'avaient tellement effrayée. Comme je me souviendrais longtemps de l'odeur d'humidité et de moisi qui régnait dans la Chambre Bleue.

Henry Tregarth avait paru très ennuyé à la pensée que j'avais dormi dans une pièce recélant des ossements humains. Il s'était excusé alors qu'il n'en était en rien responsable et m'avait parlé avec beaucoup de douceur et de compréhension.

Le lendemain, après ma seconde leçon d'équitation, il me fit appeler dans la bibliothèque. Tout en frappant à la porte, je me demandai pourquoi il désirait me voir.

Je fus assez surprise en constatant qu'il n'était pas seul. En face de lui se tenait l'homme qui avait voulu visiter le moulin, quelques jours auparavant.

— Mademoiselle Mountjoy, dit M. Tregarth en m'indiquant un siège. Je crois que vous m'aviez parlé d'une visite que vous aviez reçue au moulin...

— Oui, monsieur.

— Vous connaissez donc déjà Abel Wilks, auquel j'ai accepté de louer le moulin. Cependant, vous en avez l'usage jusqu'après la moisson et Abel Wilks souhaiterait s'y installer le plus rapidement possible.

— Oui, intervint le meunier. J'ai pensé que, étant donné que vous n'habitez pas la maison, vous accepteriez peut-être que je prenne possession des lieux sans tarder. Cela m'arrangerait fort car je voudrais tout remettre en état ! Après la moisson, je n'aurai plus le temps.

J'hésitai un instant.

— Naturellement, je paierai le loyer à votre place, et s'il y a des meubles dont vous ne voulez plus, je suis prêt à les racheter. Je dois rendre cette maison habitable...

— Etes-vous marié, Wilks ? s'enquit M. Tregarth.

— Pas encore, monsieur. Je dois m'occuper de tout moi-même...

Le Jeune Châtelain se tourna alors vers moi.

— Voyez-vous un inconvénient à la proposition d'Abel Wilks, mademoiselle ? J'ai déjà donné des ordres pour que les réparations indispensables soient faites au cottage de Mollie Treen... Vous aurez donc une autre demeure si vous quittez le moulin.

Je ne vis aucune raison pour refuser cet arrangement. Pourquoi aurais-je gardé plus longtemps le moulin puisque j'habitais désormais au château ?

— Dès que j'aurai mis mes affaires en ordre, le moulin sera libre, dis-je à Abel Wilks.

— Je suis venu en charrette. Voulez-vous que je vous amène au village maintenant ?

— Pas aujourd'hui, coupa Henry Tregarth. Mademoiselle Mountjoy fait travailler ma fille et je la ferai conduire demain au moulin.

Abel Wilks parut déçu, tandis que M. Tregarth me disait un peu sèchement que je pouvais disposer.

— Que voulait papa ? demanda Dorothy avec curiosité.

Je lui parlai du meunier et, de nouveau, elle me supplia de l'emmener voir le moulin.

— Je voudrais aussi faire la connaissance de Mollie et de Barrie !

— Peut-être pourrez-vous y aller un jour, si votre père y consent, Dorothy.

Lorsque j'apparus à table pour dîner, je fus accueillie comme à l'ordinaire par un coup d'œil hostile de Celia Hepton.

— Avez-vous remarqué, au cours de la visite que nous avons faite aux Wood cet après-midi, qu'ils avaient modifié l'agencement de leurs jardins ? dit-elle à Henry Tregarth.

On aurait cru qu'elle voulait absolument m'exclure de la conversation en abordant des sujets dont j'ignorais tout.

Je ne savais rien des Wood, sinon qu'ils habitaient à une dizaine de kilomètres du château et qu'ils avaient deux enfants. Une fille ayant l'âge de Celia Hepton et un fils un peu plus âgé.

Après avoir avalé la dernière bouchée de son

dessert, Dorothy se tourna vers son père et lui adressa un coup d'œil interrogateur.

Celia Hepton regarda la petite fille sans qu'une once de tendresse paraisse dans ses prunelles. Si, ainsi que Mollie le disait, il y avait bientôt un mariage au château, Dorothy n'aurait pas une belle-mère très aimante...

— Très bien, Dorothy, dit M. Tregarth. Allons jouer aux cartes pendant une demi-heure... Mademoiselle Mountjoy viendra te chercher tout à l'heure.

Quand je redescendis à la bibliothèque une demi-heure plus tard, M. Tregarth me dit que le tilbury serait à ma disposition le lendemain pour me conduire au moulin.

— Oh ! s'exclama Dorothy. Pourrais-je accompagner mademoiselle Mountjoy, s'il vous plaît, papa ?

— Demain, ce ne sera pas possible, car mademoiselle Mountjoy aura beaucoup à faire.

— Mais une autre fois ? insista la petite fille.

— Une autre fois, peut-être. Ce sera à mademoiselle Mountjoy de décider.

— Si votre papa y consent, dis-je à Dorothy, vous viendrez avec moi au village un autre jour.

Elle battit des mains avec enthousiasme, puis embrassa son père et quitta la bibliothèque en sautillant joyeusement.

***
***

— Ils ont commencé à refaire le toit, et ils ont dit qu'ils changeraient les fenêtres ! m'annonça Mol-

lie avec satisfaction. Ce sont des ouvriers conscien-
cieux et mon cottage paraîtra tout neuf après leur
passage !

Barrie sautait follement autour de moi en
aboyant pour me souhaiter la bienvenue.

— Je dois aller au moulin, Mollie. Un nouveau
meunier va s'y installer.

— Déjà ?

— C'est cet homme dont je vous ai parlé, vous
savez, celui qui avait insisté pour que je lui fasse
visiter le moulin. Le Jeune Châtelain le lui a loué
et il veut venir l'habiter sans tarder.

— Vous avez accepté ? Vous pouviez pourtant
rester jusqu'après la moisson !

— Je n'habite plus au moulin, Mollie. Pourquoi aurais-je insisté pour le garder alors que je ne
l'utilise pas ? D'autant plus qu'Abel Wilks, le meunier, paiera le loyer à ma place et qu'il est prêt à
racheter les meubles que je ne garderai pas.

— Vous avez été bien inspirée le jour où vous
avez décidé d'aller voir le Jeune Châtelain, Clara !
dit Mollie, souriante.

— Je crois...

Mollie m'accompagna jusqu'au moulin. Barrie traversa le potager en courant et j'eus un soupir attristé en voyant les mauvaises herbes envahir
les plates-bandes que j'avais pourtant soigneusement
sarclées.

— Vous devriez mettre à part tout ce que vous
voulez emporter chez moi, suggéra Mollie.

Je montai dans ma chambre et ne pus m'empêcher de la trouver misérable, en comparaison de la pièce que j'occupais au château.

Je me rendis ensuite dans la chambre de ma grand-mère où rien n'avait été changé depuis des années. Une couverture blanche au crochet recouvrait le grand lit surmonté d'un édredon de duvet.

J'ouvris l'armoire pour en sortir les draps, et une vivifiante odeur de lavande imprégna la pièce. Ma grand-mère avait l'habitude d'aller la cueillir dans les champs puis de la faire sécher avant de la glisser dans ses tiroirs ou ses armoires. Il flottait toujours autour d'elle un léger parfum de lavande...

J'eus soudain l'impression qu'elle était toute proche de moi, et je la revis dans son lit, peu avant sa mort. Les mots étranges qu'elle avait prononcés me revinrent à la mémoire : « Dans la terre non consacrée... comme un chien. »

Qu'avait-elle bien voulu dire par là ?

Mollie m'aida à porter mes affaires jusque chez elle dans une brouette. Nous dûmes faire plusieurs voyages car, même si je voulais conserver peu de choses, cela représentait encore un certain volume.

— Si Abel Wilks vient vous demander la clé du moulin, vous pourrez la lui remettre, Mollie, déclarai-je soudain.

— Très bien, Clara. Et vos poules, que vont-elles devenir ? Je leur ai apporté du grain tous les jours...

— Demandez-lui s'il les veut. Sinon vous pourrez les prendre...

Nous parlâmes de choses pratiques pendant un

certain temps, tout en rangeant mes affaires dans les pièces dont Mollie me laissait la disposition.

J'avais évité de lui parler du squelette qui avait été découvert dans ma chambre au château : je savais que M. Tregarth préférait que cela ne soit pas ébruité.

Ce fut seulement en quittant Mollie que je compris à quel point je lui manquais.

— Quand reviendrez-vous, Clara ? me demanda-t-elle avec une angoisse mal dissimulée.

— Bientôt, Mollie, je l'espère.

Cela m'ennuyait d'être tributaire du tilbury. Maintenant que je devenais une cavalière un peu plus expérimentée, peut-être pourrais-je bientôt envisager de me rendre au village à cheval ? Je me sentirais ainsi beaucoup plus indépendante !

Henry Tregarth serait-il d'accord ? Peut-être était-il un peu trop tôt pour lui en parler...

Dorothy m'attendait à la grille du château. Le cocher s'arrêta et elle sauta auprès de moi.

— Vous êtes partie longtemps ! me dit-elle d'un ton sévère. Qu'avez-vous fait au moulin, mademoiselle ?

— Racontez-moi plutôt ce que vous avez fait, Dorothy.

— J'ai sauté à la corde, puis je suis descendue à la cuisine où la cuisinière m'a offert une part de tarte... J'ai été voir les poussins, qui sont devenus maintenant de gros poulets.

Elle fronça les sourcils.

— Mademoiselle Mountjoy, qu'est-ce qu'un testament ?

— Pourquoi me demandez-vous cela, Dorothy ?

— J'étais allée m'asseoir sous la table de la
cuisine pour jouer avec l'un des chats, quand j'ai
entendu la cuisinière et Rosy parler du Vieux Châtelain.

— Dorothy, pourquoi vous intéressez-vous aux
ragots de la cuisine ? Votre père n'aimerait pas cela
du tout...

— Il ne sait pas que j'ai été à la cuisine. Mais
qu'est-ce qu'un testament, mademoiselle ?

— C'est un document par lequel une personne
dispose de ses biens après sa mort.

— Eh bien ! la cuisinière et Rosy disaient que
si le Vieux Châtelain avait laissé un testament,
tout serait probablement différent au château. Mais
il n'a jamais voulu dicter ses dernières volontés
parce que son cœur était brisé... Un cœur brisé !
Comment cela, mademoiselle ?

— Dorothy, je vous en prie, ne répétez pas les
bavardages que vous avez pu surprendre. Les domestiques n'avaient pas le droit de parler ainsi, sachant
que vous étiez là !

— Ils l'ignoraient, puisque j'étais sous la table !
Quand je suis sortie de ma cachette, ils ont d'ailleurs paru bien ennuyés et ont voulu me faire promettre de ne parler à personne de ce qu'ils avaient
dit ! Mais je suis partie en courant sans rien leur
promettre du tout !

Elle m'adressa un sourire malicieux.

— Si bien que je peux tout vous répéter !

J'hésitai un instant. Il n'était pas bon d'encourager la tendance qu'avait Dorothy à s'intéresser aux commérages, mais une petite fille avait aussi besoin de se confier.

— Me permettez-vous de vous raconter ce que j'ai entendu ? implora Dorothy. Il y a plusieurs choses que je n'ai pas bien comprises...

— Si vous voulez, Dorothy. Mais promettez-moi de ne plus jamais être indiscrète !

— Oh oui, mademoiselle !

Nous avions quitté le tilbury et nous dirigions maintenant vers la nursery.

— La cuisinière racontait qu'elle était au château depuis très, très longtemps. Presque aussi longtemps que William ! Et elle a parlé du Vieux Châtelain qui ne s'est plus occupé du domaine après la mort de son fils. Le Vieux Châtelain était très fâché parce que son fils était allé vivre à l'étranger, et il lui a alors coupé les vivres. Que signifie cette expression ?

— Cela veut dire ne plus donner d'argent.

— Le fils du Vieux Châtelain avait épousé une danseuse française, ce qui avait rendu son père fou de rage... Pourquoi ?

— Je ne sais pas, Dorothy.

— Et ensuite, la cuisinière a raconté que c'était peut-être aussi bien que le Vieux Châtelain n'ait pas fait de testament, car il y avait au château des gens qui s'attendaient à recevoir tout l'héritage alors qu'ils n'étaient même pas de la famille... Et pourtant, il paraît que ces gens-là, surtout « elle », avaient fait des pieds et des mains pour arriver à être cou-

chés sur le testament ! Quelle drôle d'idée !
Comment peut-on se coucher sur un document ?

— C'est une expression, Dorothy. Une expression imagée, tout simplement !

— La cuisinière a déclaré qu'il était normal
que le domaine revienne au parent le plus proche...
Puis elle a assuré qu' « elle » n'avait pas dit son
dernier mot et que le Jeune Châtelain ferait bien
de s'en méfier ! Le Jeune Châtelain, c'est papa,
n'est-ce pas ? De qui doit-il se méfier ?

Il était évident que c'était de Celia Hepton,
mais je n'avais aucune intention de faire part de
mes conclusions à Dorothy.

— Je ne comprends pas très bien tous ces
racontars, affirmai-je. Ce sont des bêtises sans intérêt...

— Rosy a dit alors que ce ne serait pas drôle
si « elle » était maîtresse au château. Puisque c'est
papa le maître, que signifie cela ?

— Rien du tout, Dorothy !

— Et alors je suis sortie de sous la table et
elles sont toutes deux devenues très rouges...

J'eus un léger soupir.

— Si vous arriviez à retenir aussi bien vos
leçons que ces bavardages sans queue ni tête, vous
sauriez vite beaucoup de choses passionnantes, Dorothy ! Je n'aime pas du tout que vous alliez vous
cacher à la cuisine pour y surprendre des conversations qui ne vous sont pas destinées ! Ce n'est pas
bien...

— Quand nous habitions en Italie, les domestiques oubliaient parfois que je comprenais l'italien

et parlaient devant moi sans contrainte... Ils disaient souvent du mal de...

Une ombre passa sur son petit visage.

— De maman, acheva-t-elle dans un souffle.

Je la pris dans mes bras. Ce n'était qu'une petite fille que la vie avait déjà meurtrie et qui avait plus besoin de tendresse que de leçons !

— Parlez-moi de votre maman, Dorothy.

— Elle jouait parfois avec moi, mais il arrivait que je ne la voie pas pendant des jours et des jours... Elle aimait beaucoup oncle Kiki, et moi aussi, car il me donnait des bonbons et des jouets.

— Oncle Kiki ? Qui est-ce ?

— C'est un secret. Un secret entre maman et moi... Je ne devais parler à personne d'oncle Kiki !

— Même pas à votre papa ?

— Même pas à papa.

La description que Dorothy me faisait de sa vie en Italie me semblait assez étrange... Qui était ce mystérieux oncle Kiki ?

J'avais l'impression que Dorothy avait vécu dans une atmosphère bien peu saine !

— Votre maman était-elle jolie ?

— Oh, oui ! Elle ressemblait à ma poupée...

J'eus la vision d'une jeune femme blonde aux yeux bleus et au teint pâle...

— Maman était très souvent malade et passait de longues heures au lit. Et puis elle sortait et, lorsqu'elle revenait, elle était de bonne humeur ! Quand elle a commencé à rester tout le temps couchée, et que le médecin venait chaque matin,

la vie devint beaucoup plus triste ! Il ne fallait pas
faire de bruit...

Je la berçais doucement. C'était la première fois
qu'elle me parlait de son existence avant son arrivée
au château. Cela ne pouvait que lui faire du bien
de se libérer de tout ce qu'elle avait gardé enfermé
au plus profond d'elle-même.

— Un soir, papa est arrivé. Il venait de moins
en moins fréquemment à la maison et cela me, rendait triste...

— Vous voulez dire que votre père n'habitait
pas avec vous ?

— Non. Ce soir-là, il m'a emmenée voir maman. Elle était dans son lit et fermait les yeux.
Papa m'a dit de l'embrasser et alors maman a
ouvert les yeux... Elle semblait très fatiguée. Ensuite,
papa m'a dit de retourner dans la nursery avec
Carla, la femme de chambre. Nous étions toutes
deux à la fenêtre quand nous avons vu une calèche
arriver et oncle Kiki en descendre. Carla m'a dit
en pleurant que c'était papa qui l'avait fait prévenir. Plus tard, oncle Kiki a quitté la maison avec
un mouchoir sur les yeux. Papa est alors venu dire
quelque chose à Carla qui a pleuré de nouveau...
Puis il m'a prise dans ses bras et m'a dit que maman
ne souffrirait plus jamais !

Elle me regarda avec anxiété.

— C'était mieux ainsi, n'est-ce pas ?

— C'était beaucoup mieux ainsi, Dorothy, dis-je
doucement.

— Ensuite, nous sommes venus vivre ici. Papa

a dit que ce serait une nouvelle existence pour nous deux...

Tout en me préparant pour le dîner, je réfléchissais à ce que m'avait confié Dorothy. Je m'étonnais de ce qu'elle soit capable de garder le silence pendant si longtemps sur des faits qui l'avaient visiblement marquée.

La vie conjugale d'Henry Tregarth n'apparaissait pas avoir été très heureuse d'après ce récit. Sa femme était belle, probablement, mais maladive... et apparemment peu fidèle. Dorothy était trop jeune pour comprendre ce qui se passait en réalité, mais il ne m'avait pas été difficile de tirer de notre conversation les conclusions qui s'imposaient... Et une certaine pitié m'envahit à l'égard du Jeune Châtelain.

Un peu plus tard, au cours du dîner, M. Tregarth me demanda si j'avais pu tout arranger au moulin.

Celia eut un long soupir.

— Pourquoi accorder une telle importance à ce moulin ! s'écria-t-elle, agacée. Personne ne s'en est soucié depuis vingt ans, à quoi bon faire tant d'histoires maintenant ! Je n'en vois pas la nécessité !

— Peut-être ne la voyez-vous pas, en effet, répliqua sèchement M. Tregarth.

Celia changea immédiatement de sujet et déclara qu'elle avait entendu dire que la moisson serait très belle cette année.

— Je l'espère, dit le Jeune Châtelain. Car j'ai l'intention de donner une grande Fête de la Moisson !

Les yeux de Dorothy se mirent à briller tandis que Celia Hepton répétait avec une grimace :

— Une grande Fête de la Moisson ?

— Oui. C'était autrefois une coutume au château, coutume que j'ai l'intention de faire revivre. Je n'ai aucune intention de m'isoler des villageois comme mon oncle ! Pensez-vous que les gens apprécieraient une telle fête, mademoiselle Mountjoy ? poursuivit-il en se tournant vers moi.

— Certainement, monsieur. Je crois qu'ils sont assez contents de vous voir reprendre le domaine en mains...

Plus tard, après avoir mis Dorothy au lit, je m'assis comme j'en avais pris l'habitude au coin du feu pour lire quelques pages. Le livre ne tarda pas à me tomber des mains tandis que je réfléchissais à la conversation que Dorothy avait surprise...

Ainsi, le Vieux Châtelain n'avait pas laissé de testament, en dépit des insistances du colonel Hepton et de sa fille, qui espéraient bien mettre la main sur le domaine. Et s'il n'y avait pas de testament, aucun document ne donnait à Celia Hepton la possibilité de rester au château... Si elle y était toujours, c'était grâce à la volonté d'Henry Tregarth.

Le fils du Vieux Châtelain était mort après avoir épousé une jeune danseuse française... Qu'était donc devenue celle-ci ? Si le Vieux Châtelain s'était montré si fâché du mariage de son fils, il n'avait probablement jamais vu sa belle-fille, et elle devait toujours se trouver en France.

Comme chaque soir, je me mis ensuite à penser

à la Chambre Bleue et au squelette non loin duquel j'avais dormi. Cette femme avait-elle été emmurée vivante ? Et par qui ?

J'avais entendu dire, depuis ma plus tendre enfance, que les Tregarth n'avaient jamais eu de chance.

Je commençais à le croire...

La pendule placée sur la cheminée sonna un coup. Il était déjà une heure du matin et je n'avais pas sommeil !

Je m'étirai avec un soupir. J'aimais ma nouvelle chambre... Et je n'y avais pas entendu de revenant sangloter au cours de la nuit ! Je ne voulais toujours pas croire aux fantômes, cependant j'étais persuadée que ce que j'avais surpris n'était pas l'effet de mon imagination.

CHAPITRE VII

Dorothy et moi faisions de très nets progrès en équitation, et je demandai à William s'il estimait que je serais bientôt capable de me rendre seule au village à cheval.

Il leva ses sourcils broussailleux et me répondit :

— D'ici peu de temps, mademoiselle. Vous avez déjà une bonne « assiette »...

C'était exact. Je me sentais maintenant tout à fait à l'aise sur ma selle, même quand le cheval trottait.

— Oui, vous avez une bonne « assiette » ! reprit William avec satisfaction.

A ce moment, Celia Hepton apparut dans une tenue d'amazone si bien coupée, si élégante que je me sentis très mal habillée auprès d'elle.

— C'est l'heure de la leçon ? demanda-t-elle en s'approchant de nos montures qu'elle caressa du plat de la main, tout en nous parlant.

A l'instant où elle s'éloignait, mon cheval poussa un bref hennissement et se cabra. Je hurlai. Il retomba lourdement sur ses quatre fers puis se dressa de nouveau... Cette fois, je basculai et fus projetée sur les pavés.

Je perdis immédiatement conscience.

Quand j'ouvris de nouveau les yeux, il y avait autour de moi de nombreux visages anxieux. Dorothy pleurait bruyamment.

— Comment vous sentez-vous, mademoiselle ? demanda William avec inquiétude. Je ne sais pas ce qui a pris à Kimono... Il est tellement calme d'ordinaire !

Je passai la main sur mon front. Je me sentais très faible et tout tournait autour de moi...

— Mademoiselle Hepton est allée au château chercher de l'aide, ajouta William.

— Mademoiselle... sanglotait Dorothy. Oh, où est papa ?

Son petit visage était pâle et épouvanté. Mais je ne me sentais pas la force de parler et de la rassurer. Bientôt Rosy fit son apparition, suivie de Celia.

— Eh bien ! ce n'était pas si grave, dit cette dernière avec froideur.

— Un peu de brandy, et tout ira mieux, déclara William.

— J'en ai apporté, dit Rosy.

On me tendit un verre et je me mis à tousser quand l'alcool me brûla la gorge.

— Etes-vous mieux, mademoiselle ? s'enquit Rosy. Où vous êtes-vous fait mal ?

— Je vous en prie, Rosy, ne faites pas une telle histoire ! s'exclama Mlle Hepton sèchement.

Et vous, Dorothy, cessez donc de pleurer ! Vraiment, je me demande pourquoi les gens incapables de tenir à cheval s'entêtent à monter !

— Ce n'est rien, Dorothy, murmurai-je d'une voix faible.

Je tentai de sourire pour la rassurer.

— Heureusement que vous êtes tombée tout de suite ! s'exclama William. Je craignais que votre pied ne reste pris dans l'étrier et que vous ne soyez traînée par Kimono... Ah, voici monsieur Tregarth !

— Papa ! Papa !

Dorothy courut à la rencontre de son père et revint suspendue à son bras.

— Le cheval de mademoiselle Mountjoy s'est cabré et elle est tombée !

— Ce n'est rien, Henry ! déclara Mlle Hepton d'un air suprêmement agacé. Rien du tout... Beaucoup de bruit pour rien !

Le Jeune Châtelain s'approcha de moi et me regarda avec inquiétude.

— D'ici quelques minutes, je suis sûre que je me sentirai beaucoup mieux, assurai-je d'une voix à peine audible.

— Où est Kimono ? demanda-t-il à William.

— A l'écurie, monsieur. Je n'arrive pas à comprendre ce qui s'est passé, c'est le cheval le plus doux que j'aie jamais connu !

— Allez chercher le médecin, William. Immédiatement !

— Je n'ai rien de cassé, assurai-je.

— Je préfère que le médecin s'en assure ! Il

faut prendre au sérieux une chute brutale sur des pavés !

Il se pencha vers moi et me souleva sans effort apparent.

— Je vais vous ramener au château.

Je me sentis horriblement gênée d'être ainsi portée, devant les domestiques et Mlle Hepton. Celle-ci nous accompagna. Son visage était figé dans un rictus haineux, et j'étais sûre qu'elle aurait voulu m'arracher des bras du Jeune Châtelain.

Dorothy courait en avant. Elle avait relevé sur son bras sa longue robe d'amazone pour aller encore plus vite.

D'étranges sensations s'emparèrent de moi alors que nous allions ainsi vers le château, coupant au travers des pelouses. Mon embarras m'avait quittée et je me sentais merveilleusement bien contre la poitrine d'Henry Tregarth...

Il m'amena dans le salon et me déposa avec douceur sur un sofa. Celia serrait les dents.

— Bien... Etant donné que cette chute ne représente aucun caractère de gravité, en dépit de toutes les comédies qui l'ont suivie, je crois que je peux aller faire ma promenade habituelle, déclara-t-elle. Il n'y a pas un cheval capable de me faire tomber ! Allez-vous prendre votre leçon d'équitation, Dorothy ?

— Non, répondit-elle avec vigueur. Je ne monterai plus jamais à cheval !

— Ne parlez pas ainsi, Dorothy ! Vous remonterez à cheval, et moi aussi ! m'écriai-je.

— Mademoiselle Mountjoy a raison, Dorothy,

assura son père en me regardant avec une certaine admiration. Va avec ta tante Celia et prends ta leçon comme d'habitude !

Celia m'adressa un coup d'œil furibond. Elle avait probablement espéré que j'allais être effrayée et que je refuserais désormais de monter à cheval.

— Juste une petite leçon, Dorothy, insistai-je. Pour montrer que vous êtes courageuse !

Après le départ de Mlle Hepton et de Dorothy en direction des écuries, M. Tregarth me remercia d'avoir parlé ainsi à sa fille.

— Vous êtes vous-même très courageuse, mademoiselle Mountjoy.

Il me fixa longuement et je me sentis de nouveau flotter dans un monde de perceptions inconnues à la fois puissantes et tendres... Que m'arrivait-il ? Cette chute m'avait fait perdre la tête, voilà que je souhaitais me trouver encore dans les bras du Jeune Châtelain !

— Si le médecin l'estime nécessaire, vous resterez au lit. Une telle chute secoue forcément, même sans fracture ! N'oubliez pas que vous êtes restée inconsciente pendant un certain temps !

Le médecin, après m'avoir soigneusement examinée, déclara qu'il suffirait d'une journée de repos et d'une bonne nuit pour qu'il n'y paraisse plus.

— Juste quelques courbatures, mademoiselle !

Il m'aida à regagner ma chambre. Quelques instants plus tard, Dorothy frappait à ma porte.

— Je suis montée à cheval, mademoiselle ! s'écria-t-elle fièrement. Et je n'ai pas eu peur !

— C'est bien, Dorothy. Je suis contente...

Elle me tint compagnie pendant près d'une heure, puis s'éclipsa.

— N'allez pas trop loin, Dorothy.

— Je vais seulement jouer autour des écuries, déclara-t-elle.

Restée seule, je pus enfin tenter d'analyser mes sentiments à l'égard du Jeune Châtelain. Ce n'était pas facile... J'avais l'impression que quelque chose venait d'éclater brusquement en moi, libérant des forces dont je n'étais pas consciente et qui m'effrayaient presque...

Comment avais-je pu être tellement troublée par sa proximité ? Il m'avait prise dans ses bras, certes, mais parce qu'il y était pratiquement obligé... A ses yeux, je n'étais qu'une employée.

Henry Tregarth était le « Châtelain », il ne me fallait pas l'oublier, tandis que je n'étais que la fille du meunier.

Dorothy ne tarda pas à me rejoindre.

— Kimono semble redevenu aussi gentil qu'avant ! assura-t-elle. Regardez ce que j'ai trouvé dans son box !

Elle me tendit une épingle à chapeau. Je l'examinai soigneusement et ne fus pas longue à parvenir à la conclusion qui s'imposait : Celia Hepton avait piqué Kimono avec cette longue épingle. Volontairement.

— Qu'est-ce que c'est, mademoiselle ? demanda Dorothy avec curiosité.

— Rien, Dorothy... Juste une épingle à chapeau... Quelqu'un a dû la faire tomber.

Je me sentis assez en forme pour donner à mon élève sa leçon de lecture, et le soir, je pus descendre dîner.

— Oh, mademoiselle, vous auriez dû vous faire monter un plateau dans votre chambre ! s'exclama M. Tregarth.

— Je me sens parfaitement bien, monsieur. Quelques courbatures, peut-être, mais le médecin m'avait prévenue... J'ai appris que Kimono avait retrouvé son calme, et je ne crois pas qu'il lui prendra de nouvelles fantaisies...

— Ce n'est pas évident. Il est inquiétant de voir un cheval tranquille se comporter ainsi sans raison.

— Peut-être y avait-il une raison, fis-je d'un air candide. Peut-être avait-il été provoqué...

Tout en parlant, je fixai Celia Hepton. Etait-ce mon imagination, ou bien rougissait-elle légèrement ?

— Comment cela ? s'étonna M. Tregarth.

— Il a pu être piqué par une guêpe ou un taon ! Une piqûre d'insecte peut surprendre... C'est aussi douloureux que si le cheval avait été piqué par une épingle à chapeaux, par exemple...

Il n'y avait plus de doute à avoir : Celia Hepton rougissait franchement, cette fois. J'aurais pu en dire plus, mais je n'insistai pas. Le geste de

Mlle Hepton aurait pu avoir de graves conséquences, mais il n'en était rien... Elle ne m'avait pas fait bien mal, et cela ne lui avait pas tellement réussi.

Je savais maintenant que je devais me méfier : j'avais une ennemie implacable au château.

⁂

— Mademoiselle Mountjoy, venez voir le hangar à bateaux !

J'étais assise au bord de la rivière, regardant l'eau couler. L'air sentait bon l'herbe coupée, et des centaines de boutons d'or se massaient autour de moi, tandis que des papillons voletaient çà et là.

C'était une magnifique journée de juin, et oubliant pour une fois les leçons, Dorothy et moi étions allées explorer les alentours du château.

Mon élève, comme à l'ordinaire, courait partout. Elle avait réussi à ouvrir la porte du hangar à bateaux et je me doutais bien de la raison pour laquelle elle tenait tant à ce que je la rejoigne sous cet abri poussiéreux...

Je clignai quelques instants les yeux avant de m'habituer à la pénombre. Puis je distinguai quelques barques, des avirons, des outils divers ainsi qu'un énorme marteau.

Dorothy était assise au bord de l'une des barques vernies. Elle s'était emparée d'un aviron qu'elle agitait en tous sens.

— Mademoiselle, pria-t-elle. Allons sur l'eau ! J'ai tellement envie de me promener en bateau...

— Non, Dorothy. Je ne sais pas ramer, et cela peut être très dangereux !

Ces embarcations n'avaient pas été utilisées depuis de longues années. Il était possible qu'elles prennent l'eau... De toute façon, Dorothy pas plus que moi ne savions nager. Une telle promenade aurait représenté un risque insensé !

— Cueillez quelques fleurs, Dorothy... Jouez au bord de la rivière sans trop vous en approcher.

Elle obéit avec réticence, visiblement déçue de ne pas pouvoir se promener en barque comme elle le souhaitait. Mais bientôt sa bonne humeur reprit le dessus et elle se mit à courir dans l'herbe en chantant joyeusement.

Soudain elle disparut et, inquiète, je l'appelai.

— Mademoiselle ! s'écria-t-elle. Venez voir ce que j'ai découvert !

Sa voix venait de la berge où elle était descendue en dépit de mes recommandations.

— Il y a une porte ici. Où peut-elle bien mener ?

Intriguée, je la rejoignis et ne songeai pas à la gronder tant cette porte en fer à demi-immergée me parut étrange. Elle était soigneusement cadenassée, et plusieurs verrous la renforçaient encore. Je remarquai qu'elle était complètement rouillée.

— A quoi mène-t-elle ? s'étonna Dorothy.

— Je n'en sais rien, Dorothy.

— Qu'y a-t-il derrière ? insista-t-elle. Essayons de l'ouvrir !

— Certainement pas !

Soudain, je repensai à ce qu'avait dissimulé la

tapisserie dans la Chambre Bleue et je ne pus réprimer un frisson en regardant cette porte trop bien close.

— C'est bizarre, par ici, déclara soudain Dorothy. Ce... ce n'est pas très accueillant !

— Vous avez raison, Dorothy. Pourtant cette rivière, la Sedge, est par endroits ravissante ! Demain nous irons jusqu'au village avec le tilbury, vous verrez Mollie et le moulin...

— Papa a donc donné son autorisation ? s'écria l'enfant en sautant de joie.

— Pas encore. Mais je suis persuadée qu'il acceptera.

— Il est content parce que j'ai appris à lire, déclara Dorothy en se baissant pour cueillir quelques boutons d'or. Et aussi parce que je sais monter à cheval !

Celia Hepton ne s'était plus montrée pendant nos leçons d'équitation, en quoi elle avait eu raison, car j'étais décidée à user de ma cravache si elle tentait de s'approcher de mon cheval !

Dorothy avait fait de grands progrès et ne semblait manifester aucune crainte, même après ma chute. J'étais persuadée que c'était dû au fait que j'avais tenu à remonter à cheval dès le lendemain.

Son père était enchanté de ses progrès...

Quant à moi, une seule pensée me poursuivait nuit et jour. Je ne me cachais plus que j'étais amoureuse d'Henry Tregarth. Comment cet amour était-il né, je l'ignorais... Il m'avait maintenant complètement envahie et ma vie était devenue une source

de bonheur en même temps qu'un tourment per-
pétuel.

Car s'il était merveilleux de vivre sous le même
toit que le Jeune Châtelain, combien je souffrais
lorsque je le voyais parler avec Mlle Hepton, ou
bien lorsqu'il avait des hôtes à dîner, et que je me
trouvais reléguée à la nursery en compagnie de sa
fille !

Le jour de l'anniversaire de Dorothy, un dîner
de gala était prévu. J'avais cousu au cours des
semaines précédentes une robe de mousseline bleue
de forme très simple qui m'avait cependant donné
beaucoup de mal. J'avais également fait pour Dorothy une ravissante robe ornée de dentelle que je lui
offris avant que nous ne descendions à table.

— Voici mon cadeau d'annivevrsaire, Dorothy !

— Oh, mademoiselle Mountjoy, merci ! Merci...
Cette robe est tellement jolie ! Beaucoup plus jolie
que ma robe en broderie anglaise ! Comme vous
êtes gentille d'avoir pensé à moi...

Elle tint absolument à mettre sa nouvelle robe
pour dîner. Je défis ses tresses et brossai soigneusement ses cheveux, puis j'allai me préparer à mon
tour.

— Vous êtes très belle, mademoiselle, déclara-
t-elle avec admiration quand j'apparus, revêtue de
ma robe de mousseline bleue.

— Vous aussi, Dorothy ! dis-je en riant.

Monsieur Tregarth et Mlle Hepton étaient déjà
dans la salle à manger. Dorothy se précipita vers
son père :

— Aimez-vous ma robe, papa ? C'est le cadeau d'anniversaire de Mademoiselle !

Elle tourna sur elle-même pour faire voler les plis de la longue jupe.

— Mademoiselle a également fait sa robe ! ajouta-t-elle.

— Vous êtes toutes deux ravissantes dans vos robes neuves, dit le Jeune Châtelain. J'ai beaucoup de chance de dîner en compagnie de trois jeunes filles aussi belles.

Son regard rencontra le mien. Il y avait une certaine admiration dans ses prunelles et je sentis les battements de mon cœur s'accélérer.

Celia Hepton eut un sourire ironique.

— Vous vous êtes donné beaucoup de mal, mademoiselle Mountjoy. Vous semblez très adroite... Je suis sûre que vous pourriez vous installer comme couturière dans un village ou un petit bourg où la clientèle n'est pas trop exigeante...

Je dédaignai sa remarque, qui m'avait cependant quelque peu blessée, et m'apprêtai à déguster l'excellent dîner dont Dorothy avait composé le menu. En ce jour de fête elle avait l'autorisation de parler à table et ne s'en privait pas !

Quand un gâteau couronné de neuf bougies fut apporté devant elle, elle rougit de plaisir.

— Il faut que vous éteigniez les bougies, Dorothy, lui dis-je. En faisant un vœu en même temps...

— Quelle étrange coutume ! murmura Celia avec une grimace.

Dorothy souffla de toutes ses forces sur les bougies. Elle en éteignit sept.

— Cela n'a pas d'importance, déclara son père. Souffle encore une fois pour les éteindre toutes !

L'enfant recommença. Elle était radieuse... Son petit visage d'ordinaire assez pâle resplendissait, et je m'aperçus que son père la fixait avec orgueil avant de se tourner vers moi. Estimait-il que j'étais en partie responsable de la transformation de sa fille ?

J'étais à la fois merveilleusement heureuse, et en même temps consciente de la vanité ridicule de mes espoirs. Je devinai au regard que me lança soudain Celia que ma présence à table lui était ce soir-là encore plus désagréable que les autres soirs... Pourquoi me détestait-elle autant ?

Et, surtout, pourquoi s'incrustait-elle au château ? La solution normale, pour une jeune fille se trouvant dans sa situation, aurait été d'aller vivre auprès de la tante âgée qu'elle avait encore à Londres.

— Mademoiselle Mountioy, vous n'avez pas écouté ce que je disais ! s'écria Dorothy, avec reproche.

— Pardon, Dorothy... J'ai eu la tête ailleurs pendant un instant...

— Voici du café. Cela vous réveillera, fit brutalement Celia Hepton en me tendant une tasse.

Elle offrit ensuite à Dorothy un paquet enveloppé de papier à fleurs et noué de rubans de satin. La petite fille s'empressa de l'ouvrir et découvrit une boîte en marqueterie dont elle souleva le couvercle. Les premières mesures d'une valse de Strauss s'élevèrent, tandis qu'une minuscule poupée se mettait à tourner sur son socle. Il s'agissait là d'un cadeau très coûteux et Dorothy était ravie.

— Maintenant, allons voir mon cadeau, dit son père. Il ne se trouve pas ici...

Nous le suivîmes dehors et nous dirigeâmes vers les écuries. Dorothy sautait de joie...

William, qui nous attendait, nous conduisit vers l'un des boxes où un poney brun et blanc tourna la tête vers nous.

— Oh ! s'écria Dorothy. Oh, papa ! C'est pour moi ? Il m'appartient ? Vraiment ?

— Oui, Dorothy !

— Regardez, tante Celia ! Regardez, Mademoiselle ! Comment s'appelle-t-il, papa ?

— Toby.

— Comme il est beau !

Elle caressa doucement la tête du poney qui la regardait de ses bons yeux foncés.

— Je le monterai dès demain ! affirma Dorothy ! Ah ! non, demain ce ne sera pas possible car je dois aller au village avec Mademoiselle dans le tilbury. Mais après-demain, certainement ! Je monterai avec vous, papa ! Et Mademoiselle viendra aussi !

— Peut-être pourrons-nous monter tous ensemble, suggéra avec tact le Jeune Châtelain.

— Je ne vous accompagnerai certainement pas, coupa Celia. Je n'aurai pas la patience d'aller à l'allure de tortue des débutants !

Après avoir longuement caressé le nouveau poney, nous retournâmes vers la maison. Dorothy entraînait son père devant, et je me trouvai forcée de marcher aux côtés de Celia.

— Les ouvriers ont-ils commencé à réparer le moulin ? me demanda-t-elle du bout des lèvres.

— Je n'en sais rien, répondis-je. J'ai l'intention de me rendre là-bas demain pour voir où en sont les travaux chez Mollie...

— Mon père m'emmenait souvent en barque sur la rivière lorsque j'étais enfant. Nous allions jusqu'au moulin, et je me souviens de ce drôle de petit cottage sur la berge, derrière un grand saule pleureur...

— C'est le cottage de Mollie, en effet.

Nous allâmes nous asseoir au salon. J'interprétai quelques-uns des airs favoris de Dorothy au piano, puis nous jouâmes aux cartes jusqu'à ce que son père déclare qu'il était tard et qu'elle devait aller se coucher.

Alors que je l'emmenai, il me retint.

— Le soir de l'anniversaire de Dorothy est un peu spécial ! Redescendez donc après l'avoir couchée pour prendre un verre de sherry avec Celia Hepton et moi.

Au moment où l'embrassais Dorothy en lui souhaitant une bonne nuit, elle glissa ses petits bras autour de mon cou.

— Voulez-vous connaître le vœu que j'ai fait en soufflant les bougies ?

— Oh, non, Dorothy ! Il ne faut pas en parler, sinon il ne se réalisera pas !

Avant de retourner au salon, je passai un peu d'eau de cologne sur mes tempes. Mon cœur bat-

tait très fort à la prespective de passer la soirée en
compagnie du Jeune Châtelain...

Il m'accueillit avec un sourire, tandis que Celia
Hepton me fixait sans aménité. Puis il servit le
sherry. Celia Hepton s'était installée à la table de
jeux et battait les cartes d'une main experte.

— Si nous faisions un whist ? proposa-t-elle.

— Je sais jouer au whist, déclarai-je. Mais
je ne suis guère entraînée...

— Cela n'a pas d'importance, assura-t-elle.
Mon père adorait les cartes, ainsi qu'oncle Lionel,
et nous passions nos soirées à jouer pour de l'argent, ce qui ajoutait un peu de sel aux parties !

— Pas de jeux d'argent ici ! lança Henry Tregarth avec une certaine sécheresse.

Je ne cessai de perdre. Le Jeune Châtelain
n'avait pas beaucoup plus de chance que moi... Alors
que nous terminions la dernière partie, il eut un
petit rire.

— Heureux aux cartes, malheureux en amour,
dit le dicton ! s'exclama-t-il.

Sa remarque ne parut pas plaire à Mlle Hepton qui se tourna vers moi.

— Vous avez donc l'intention de vous rendre
au village demain ? Je me souviens maintenant que
vivait une sorcière dans ce drôle de cottage près de
la rivière !

— C'est Mollie, déclarai-je sans autre commentaire.

Henry Tregarth haussa les épaules.

— Ici, dès qu'une vieille femme vit à l'écart,
les gens disent qu'il s'agit d'une sorcière ! Comme

ils assurent que la plupart des châteaux sont hantés ! Que feraient les villageois sans leurs fantômes et leurs sorcières ?

Je demeurai silencieuse, sans oser dire que j'avais entendu des sanglots dans la Chambre Bleue...

Quand un peu plus tard, je me trouvai seule dans mon lit, j'eus du mal à trouver le sommeil. Je ne cessais de me tourner et de me retourner sur mon matelas en songeant à Henry Tregarth...

Comme je l'aimais ! Le simple fait de me trouver dans la même pièce que lui m'emplissait de bonheur. Jusqu'à présent, j'avais eu l'impression qu'il ne s'intéressait guère à moi, mais il me semblait maintenant qu'il me regardait comme un être vivant, et non plus comme un robot chargé d'éduquer sa fille.

Eprouvait-il un sentiment quelconque pour Celia Hepton ? Je n'en étais pas sûre... Peut-être ne l'épouserait-il jamais, en dépit de tous les efforts qu'elle déployait. Mais il était également hors de question qu'il puisse s'intéresser à moi en pensant au mariage.

Je n'étais qu'une simple gouvernante, et mon père avait été meunier.

CHAPITRE VIII

— Voici la petite demoiselle du château ! s'exclama Mollie avec un sourire qui ressemblait plutôt à une grimace.

J'étais tellement habituée à elle que je ne remarquais pas combien elle était âgée et ridée. Ce fut en tentant de la voir avec les yeux de Dorothy que je compris pourquoi les habitants du village la traitaient de sorcière...

L'enfant paraissait intimidée en sa présence, mais voyant que je me comportais naturellement, elle ne tarda pas à retrouver son entrain habituel et à poser toutes sortes de questions à Mollie.

Les ouvriers avaient terminé les travaux à l'intérieur du cottage et remettaient le jardin en état.

— Abel Wilks s'est déjà installé au moulin, m'apprit Mollie.

Je décidai d'aller y jeter un coup d'œil. Cela me parut étrange de faire retomber le heurtoir de cuivre à la porte de ce que je considérais encore comme ma propre maison... Barrie, qui m'avait accompagnée, se mit à aboyer en remuant la queue, et j'en déduisis qu'il avait adopté le nouveau meunier.

Abel Wilks ne tarda pas à ouvrir. Il avait roulé les manches de sa chemise sur ses bras musclés, et était de toute évidence en plein travail.

— Bonjour, mademoiselle ! Entrez donc !

Je m'attendais à trouver la cuisine en désordre, mais je découvris avec surprise qu'elle était impeccable.

— Mollie m'a appris que vous viviez déjà ici, déclarai-je.

— Oui. J'aide les ouvriers qui réparent le moulin afin de les surveiller et aussi pour que cela aille plus vite. Je n'aime pas voir les choses traîner en longueur ! Dès que la moisson sera finie, le moulin tournera !

— Je voulais vous demander si vous aviez l'intention de garder les poules. Ce sont de bonnes pondeuses et Mollie les a nourries pendant mon absence.

— C'est ce qu'elle m'a dit. Je suis prêt à garder vos poules, mademoiselle Mountjoy. Si je vous donnais deux souverains en échange, accepteriez-vous ?

Son offre était raisonnable et je hochai la tête affirmativement.

— Vous êtes donc installée à demeure au château ? me demanda-t-il soudain.

— Oui.

Ses manières étaient brusquement devenues familières, et cela me déplut.

— Il paraît que le Jeune Châtelain est veuf.

Je n'ajoutai rien à sa constatation car je n'avais aucune envie de faire des commérages à propos du château avec cet homme !

— Je vais chercher l'argent, déclara-t-il soudain.

Il disparut et revint peu après avec une pochette de cuir qu'il ouvrit. C'était un homme vraiment étrange et surtout difficile à situer.

Il n'avait rien d'un paysan, mais ce n'était pas non plus un homme du monde. Il y avait en lui un mélange de rudesse et de raffinement assez étonnant.

Quand il me remit les deux souverains, sa main se referma sur la mienne. Je la lui retirai immédiatement.

— Merci, fis-je brièvement. Je dois partir maintenant...

Il m'adressa un sourire.

— J'espère que nous nous reverrons bientôt. Vous avez encore quelques meubles au moulin, et si vous le désirez, je pourrai vous aider à les transporter chez Mollie...

— Oui, volontiers, répondis-je avec une certaine réticence.

Mollie et moi n'avions pu nous charger des buffets très lourds que je souhaitais garder, et l'aide d'Abel Wilks me serait bien utile !

— A bientôt ? répéta-t-il sans me quitter des yeux.

— Probablement à tout à l'heure, déclarai-je. Je vais revenir dans la journée avec la fille du Jeune Châtelain que j'ai amenée au village mais qui est restée chez Mollie. Elle veut voir le moulin... J'espère que nous ne vous dérangerons pas.

— Vous ne me dérangez jamais, mademoiselle.

Il voulut me reprendre la main, mais j'avais deviné son geste et m'éclipsai d'un pas rapide. Je retournai chez Mollie, Barrie sur les talons, tout en me demandant si Abel Wilks n'était pas un peu amoureux de moi...

— Pourquoi ne m'avez-vous pas emmenée au moulin, Mademoiselle ? s'enquit Dorothy dès que j'arrivai.

— Nous y retournerons un peu plus tard, Dorothy. J'y suis allée seule parce que j'avais quelques problèmes à traiter avec le nouveau meunier.

Mollie nous offrit un excellent repas qu'elle avait préparé avec les légumes de son jardin et les œufs de ses poules, puis je proposai à Dorothy de marcher jusqu'au moulin en suivant les berges de la Sedge.

Barrie partit devant nous en gambadant et en aboyant joyeusement.

La grande porte du moulin était ouverte et de l'intérieur nous parvenaient des bruits de marteau.

— On est en train de le réparer. Le moulin n'a pas tourné depuis de longues années... En fait, pas depuis ma naissance !

— Croyez-vous qu'ils arriveront à le faire marcher à nouveau ?

— Certainement, assurai-je.

Je la pris par la main et m'approchai avec elle de la grande roue à demi immergée. On avait déjà enlevé la mousse verdâtre et les grandes herbes qui l'avaient envahie, et elle semblait presque neuve...

— C'est drôle de penser que la Sedge serpente à travers la campagne, dit Dorothy, songeuse. Elle passe au château, elle coule devant le cottage de Mollie, elle vient faire tourner la roue du moulin... Et après ?

J'eus un geste de la main.

— Après ? Elle continue sa course... Mais je vous avoue, Dorothy, que j'ignore ce qu'il advient de cette rivière. Peut-être se jette-t-elle dans la mer, peut-être dans un grand fleuve...

Nous retournâmes chez Mollie et Dorothy, qui semblait fascinée par l'eau, se dirigea immédiatement vers la berge.

— Regardez, Mademoiselle ! Les branches du saule pleureur tombent dans la Sedge ! Cet arbre doit être extrêmement vieux !

— Certainement, fit Mollie qui nous avait suivies. Je l'ai toujours vu ainsi... Et même quand j'étais une petite fille, il était déjà très grand !

Elle fixa du regard une brindille emportée par le courant et hocha la tête à plusieurs reprises.

— Un homme s'est noyé dans la Sedge le mois dernier..., annonça-t-elle d'un air lointain. A Chollerford !

— A Chollerford ! répéta Dorothy en écarquillant les yeux. Un noyé !

Elle eut un petit frisson.

— C'est le deuxième noyé de l'année, dit Mollie, tendant l'index vers la rivière dans une mimique prophétique. Et il en faudra un troisième, car la Sedge veut trois âmes cette année !

Elle saisit le poignet de Dorothy et déclara :

— Souvenez-vous de ce que je vous dis, petite demoiselle ! Il y aura trois noyés cette année dans la Sedge !

Dorothy était un peu effrayée et j'en voulais à Mollie de parler ainsi devant elle. Je me forçai à rire et suggérai que nous partions à pied à la rencontre du tilbury, qui ne devait pas tarder à venir nous prendre.

— Il ne faut pas prêter attention à tout ce que dit Mollie, dis-je en chemin. Il lui arrive de perdre un peu la tête et de raconter des sottises...

— Je l'aime bien quand même..., affirma Dorothy. Elle est gentille ! Et elle m'a donné des œufs de pigeon ! Regardez comme ils sont jolis !

L'enfant, pour venir voir Mollie et visiter le moulin, avait remis au lendemain sa leçon d'équitation sur son nouveau poney. Mais dès que nous arrivâmes au château, elle se précipita vers les écuries pour le caresser.

— Demain, je te monterai ! déclara-t-elle.

Le soir-même, à l'heure du dîner, j'expliquai à M. Tregarth où en étaient les réparations du cottage et du moulin.

— Abel Wilks s'y est déjà installé pour surveiller les ouvriers et les aider, ajoutai-je.

— Avez-vous passé une bonne journée au village ?

— Excellente, monsieur. Il faisait très beau et Dorothy a découvert une multitude de choses nouvelles !

Celia demeurait silencieuse et son visage, d'ordinaire rosé, était très pâle.

— Celia a reçu de mauvaises nouvelles aujourd'hui, dit Henry Tregarth. Elle va devoir nous quitter pendant quelque temps...

— Ma tante de Londres est souffrante. Elle me réclame à son chevet, expliqua-t-elle d'une voix rauque.

— Oh ! je suis désolée..., murmurai-je.

— C'est sa dame de compagnie qui m'écrit. Je vais aller voir sur place ce qui se passe vraiment...

Elle se tourna vers le Jeune Châtelain.

— Je me demande comment vous allez faire pour continuer à classer les livres de la bibliothèque...

— Ne vous inquiétez pas, Celia. Cela peut attendre...

Celia devait partir le lendemain matin, accompagnée par sa femme de chambre. La calèche la conduirait à Cholleford, où elle prendrait le train pour Londres.

— J'espère que vous ferez bon voyage, dis-je à Celia avant de quitter la table. Et je souhaite que votre tante ne soit pas gravement malade.

— Merci, répondit-elle froidement.

Je regagnai la nursery, laissant Dorothy dans la bibliothèque avec son père. Les pensées qui m'agitaient étaient assez plaisantes ! J'étais ravie à la perspective de dîner désormais seule en compagnie de Dorothy avec Henry Tregarth, sans sentir peser sur moi le regard hostile de Celia...

Comme la vie allait devenir agréable au château

sans elle ! Et le Jeune Châtelain ne pourrait plus se promener à cheval avec elle dans la lande, ni s'enfermer dans la bibliothèque sous le prétexte de classer les ouvrages...

J'étais tellement plongée dans mes réflexions que je sursautai en jetant un coup d'œil au cadran de la pendule : il était temps que je redescende chercher Dorothy.

— Dorothy semble très contente de sa journée au village, me dit M. Tregarth avec un petit sourire. Demain, elle montera son poney pour la première fois, mais malheureusement je ne serai pas là car je dois accompagner Celia jusqu'à Chollerford...

— Comme c'est dommage ! s'exclama Dorothy avec sa pétulance coutumière.

— J'espère avoir d'autres occasions de te voir sur Toby, Dorothy ! s'écria son père en riant.

Il embrassa sa fille en lui souhaitant bonne nuit, et ou moment où nous nous retirions, il m'adressa un regard qui me parut tellement empreint de chaleur que je rougis jusqu'à la racine des cheveux.

*
**

J'étais déjà à cheval quand on amena Toby à Dorothy. Elle l'avait déjà monté plusieurs fois et était habituée à lui comme lui s'était habitué à sa nouvelle cavalière.

Henry Tregarth attendait sur son grand pur-sang gris. Je lui avais récemment dit que je me sentais capable désormais de me rendre au village à cheval, et que je pouvais me passer du tilbury.

— Avant de vous laisser courir la campagne, je tiens à voir par moi-même comment vous vous tenez à cheval. Pour la première fois, je vous accompagnerai jusqu'au village... Cela nous fera une occasion de promenade !

Dorothy était ravie de cette sortie. Elle se tenait très droite sur son poney, s'appliquant à manier les rênes ainsi que William le lui avait expliqué. Elle était visiblement très fière de chevaucher aux côtés de son père...

Je ne l'étais pas moins ! Mais c'était surtout un bonheur débordant qui m'envahissait alors que j'allais au pas auprès de lui. Parce qu'il était tout près de moi, j'avais l'impression que les oiseaux chantaient plus fort, que le vent dans les arbres murmurait avec plus de douceur, que les champs de blés étaient plus dorés, et que les coquelicots sur les talus étaient plus écarlates encore que d'ordinaire !

— J'aurai quelques invités à dîner cette cemaine, déclara soudain le Jeune Châtelain. Et j'aimerais que vous teniez le rôle d'hôtesse...

— Moi, mais...

— Je vous en prie, ne refusez pas. Vous savez que Celia Hepton a été obligée de s'absenter, et il m'est difficile de recevoir sans maîtresse de maison ! Je suis sûr que vous serez une excellente hôtesse !

Je serrai nerveusement entre mes doigts les rênes de mon cheval. Comment allais-je m'habiller ? La robe de mousseline bleue que je m'étais confectionnée n'était pas assez élégante...

Mais comment expliquer ces problèmes à un homme ?

— Il vous suffira d'être vous-même, mademoiselle, reprit-il. Vous pourrez éventuellement jouer un peu de piano et chanter...

— Mais...

Il m'interrompit.

— Ne protestez pas ! Vous avez une très jolie voix, je le sais car je vous ai entendue à plusieurs reprises interpréter de ravissantes mélodies pour Dorothy !

— Papa, pourrais-je dîner avec vos invités si mademoiselle Clara est hôtesse ? demanda Dorothy qui avait suivi notre conversation avec intérêt.

Henri Tregarth parut sur le point de refuser, puis il se tourna vers moi.

— Qu'en pensez-vous ?

J'étais flattée qu'il me demande mon avis de cette manière presque familière.

— Ce serait une bonne idée, affirmai-je. Ce dîner pourrait être considéré comme un ... un petit test. Nous verrons si Dorothy est capable de le passer, mais je suis sûre qu'elle se conduira parfaitement !

— Oh oui, Mademoiselle ! s'écria Dorothy avec enthousiasme. Vous verrez comme je serai sage !

Nous arrivions au village, et M. Tregarth, avant d'aller au moulin, tint à voir si le cottage de Mollie avait été sérieusement réparé.

Mollie demeura interloquée en nous voyant entrer dans son jardin l'un à la suite de l'autre, après avoir attaché nos montures aux arbustes du chemin.

— Oh, le Jeune Châtelain ! s'exclama-t-elle enfin. Qui aurait pu penser...

Elle se courba dans une révérence maladroite.

— Entrez, monsieur, vous êtes ici chez vous !

Barrie se précipita vers moi en aboyant joyeusement.

— Donc voici Mollie, dit M. Tregarth. Et je suppose que ce chien vous appartient, mademoiselle ? ajouta-t-il en caressant la tête de Barrie.

Dorothy, pleine d'importance, tint à faire visiter le cottage et le jardin à son père. Un ouvrier achevait de repeindre la cuisine.

— Après cela, ce sera terminé, monsieur, dit-il, éberlué de voir le Jeune Châtelain effectuer lui-même la visite d'inspection.

— Parfait ! Maintenant, allons au moulin !

Dorothy courait en avant, tandis que le chien gambadait autour d'elle.

— Regardez, papa ! s'écria-t-elle alors que nous étions tout près du moulin. Voici le puits où mademoiselle allait tirer son eau !

Henry Tregarth eut un petit sourire.

— Je suis sûr que ce travail ne vous manque pas trop !

— Non, en effet ! admis-je franchement.

En réalité, je ne regrettais même pas le moulin alors que quelques mois auparavant j'avais l'impression qu'il était toute ma vie. Dans ce matin de printemps, marchant au même pas qu'Henry Tregarth, j'étais inondée de bonheur...

Abel Wilks était en train de réparer l'un des

brancards de sa carriole, tandis que son cheval brou-
tait l'herbe du talus.

— Bonjours, Wilks ! lança le Jeune Châtelain.

— Bonjour, monsieur.

— Où en sont les travaux du moulin ?

— En bonne voie. Après la moisson, je me
mettrai au travail.

— Je vais jeter un coup d'œil à l'intérieur...
Mademoiselle Mountjoy m'a dit que vous lui aviez
proposé d'apporter chez Mollie les meubles qu'elle
tient à conserver... Vous enverrez la facture à mon
intendant pour ce déménagement.

Abel Wilks hésita un instant.

— Très bien, monsieur, dit-il enfin.

Il avait légèrement rougi et je me sentais un
peu embarrassée en voyant le Jeune Châtelain s'occuper lui-même de ces détails.

Le moulin était maintenant presque entièrement
refait. Il était méconnaissable ! J'éprouvai une certaine nostalgie ; je me tins sur le seuil, tandis que
Dorothy regardait le mécanisme avec intérêt.

Mon père avait dû souvent s'arrêter à l'endroit
où je me trouvais actuellement, écoutant le moulin
tourner... Peut-être chantait-il ? Ou bien il sifflait
avec entrain, car ma mère m'avait souvent dit
combien il était gai.

— Vous paraissez pensive, mademoiselle Mountjoy, remarqua le Jeune Châtelain, alors que nous
faisions demi-tour en direction du cottage de Mollie.

— Il y a si longtemps que ce moulin était
demeuré inactif... Cela me semble étrange de penser
qu'il va recommencer à fonctionner.

— Oui, ce sera bien de le voir tourner à nouveau.

A ma surprise, je réalisai que j'étais de son avis.

Nous ne tardâmes pas à dire au revoir à Mollie et à prendre le chemin du retour. Nos chevaux allaient à un petit trot cadencé et le bruit de leurs fers résonnant sur la route me donnait l'impression d'une musique...

Dès que nous arrivâmes en vue de l'écurie, M. Tregarth mit pied à terre et vint m'aider à descendre de cheval. Le simple contact de sa main sur mon bras fit s'accélérer les battements de mon cœur.

Au prix d'un intense effort, je réussis à garder mon calme.

— Croyez-vous que je sois devenue une cavalière assez experte pour aller seule au village, monsieur ? lui demandai-je d'une voix neutre.

— Je le pense, assura-t-il. Dorothy a fait également d'énormes progrès !

Il aida sa fille à mettre pied à terre et l'embrassa chaleureusement. En dépit de ses manières d'ordinaire assez froides, j'avais l'impression qu'il pouvait être par moment très démonstratif.

— Mademoiselle Mountjoy, dit-il soudain. je voulais vous demander un service : accepteriez-vous de m'aider à classer les livres ? Je ne puis venir à bout d'un tel travail seul, et je crains que Celia ne soit retenue pendant un certain temps à Londres.

Sa requête m'emplit de joie, et ce fut avec enthousiasme que je répondis affirmativement.

— Si vous pouviez consacrer à ce travail une

heure environ après avoir couché Dorothy, ce serait parfait !

— Volontiers, monsieur.

Je lui demandai ensuite s'il avait prévu le menu du dîner de réception qui devait avoir lieu le vendredi suivant.

— Je vous laisse le soin de le chosir, mademoiselle. Voyez cela avec la cuisinière...

Les yeux de Dorothy se mirent à briller.

— Je sais ce que nous allons manger...

— Tu n'as pas à t'occuper de cela, Dorothy ! décréta son père avec une sévérité amusée. N'oublie pas que, si tu ne te conduis pas correctement, tu dîneras seule...

Pendant le reste de cette journée, j'eus l'impression de vivre un rêve... Ce château était le plus beau du monde ! Et même lorsque toutes mes affaires se trouveraient installées dans le cottage de Mollie, je n'irais pas y passer une seule nuit ! Je ne voulais pas m'éloigner du château..., ni d'Henry Tregarth !

Ce soir-là, après avoir remis un peu d'ordre dans mes cheveux, j'attendis que Dorothy soit endormie et je descendis dans la bibliothèque où le Jeune Châtelain m'attendait. Il ne fumait pas, mais il régnait dans cette pièce une légère odeur de tabac qui ne me parut pas déplaisante.

— Vous êtes vraiment très serviable, mademoiselle, dit-il en m'adressant un sourire. Asseyez-vous... Je vais vous expliquer ce que je suis en train de faire.

D'un geste large, il désigna les rayons surchargés de livres.

— L'entretien de cette bibliothèque a été négligé, comme toutes choses dans cette maison. Si certains ouvrages n'ont aucune valeur et peuvent être détruits sans dommage, il faut absolument répertorier les autres avec soin.

Je m'assis en face de lui, et il m'expliqua le système de classement qu'il avait mis au point avec l'aide de Celia Hepton.

Puis nous nous mîmes à travailler en silence. Chacun de nous écrivant les titres dans un registre relié de toile noire, et trempant nos plumes de temps en temps dans le grand encrier de cristal au socle d'argent.

Parfois je jetais un coup d'œil rapide au Jeune Châtelain. Une mèche de cheveux tombait sur ses sourcils... Cela arrivait souvent à Dorothy, quand ses nattes se trouvaient desserrées.

Je m'emparai d'un épais volume relatant une expédition en Afrique et m'aperçus que les pages et la couverture avaient été collées ensemble.

Je fronçai les sourcils.

— C'est étrange, murmurai-je. On ne peut pas ouvrir ce livre...

— Montrez-le moi...

Je le lui tendis au-dessus du bureau, et il l'examina soigneusement. Puis il hocha la tête.

— Etrange, en effet, grommela-t-il.

S'emparant d'un coupe-papier, il se mit en devoir de détacher la reliure des feuillets. Il y eut un bruit de papier déchiré et j'eus une exclamation stupéfaite : les pages avaient étaient évidées en leur centre afin de former une cachette.

M. Tregarth en sortit une feuille de parchemin pliée, un petit livre noir, deux miniatures encadrées d'argent, et une lettre. Il me montra les miniatures. L'une représentait un jeune homme aux cheveux blonds et aux yeux bleus, et l'autre une jeune fille brune dont les lèvres s'avançaient dans une moue enfantine.

— Qui sont-ils ? demandai-je.

— Je n'en ai aucune idée. Ce petit livre est en fait un journal manuscrit... Peut-être allons-nous y trouver des explications !

Je me sentais vaguement gênée. J'avais déjà été l'auteur de la macabre découverte de la Chambre Bleue... Pourquoi me trouvais-je mêlée aux événements étranges qui s'étaient passés au château de longues années auparavant ?

— Ce journal a été apparemment tenu par mon oncle, dit enfin le Jeune Châtelain. Il l'a commencé il y a plus de vingt ans... Et il se termine ainsi : « J'ai réussi à me débarrasser de la preuve ! Et la cause de tous ces troubles a disparu. » Curieux, n'est-ce pas ?

Il tourna les pages et se remit à lire :

— « Tout a été mis en place. Ce qui est fait est fait... Je suis le seul à connaître la vérité. Puisse Dieu me pardonner... »

Il s'empara ensuite de la lettre et la regarda avec attention.

— Elle est écrite en français et je connais mal cette langue. Voulez-vous me la traduire ?

C'était une très courte missive. Le papier avait jauni et l'encre pâli, mais elle était facile à déchiffrer. En haut à gauche figurait une adresse à Paris, et je remarquai qu'elle était datée du mois de mars 1862.

— « Cher Mr Tregarth », lus-je lentement, « Je vous écris à nouveau pour vous supplier de m'aider. Je vous en prie, n'ignorez pas cette lettre comme vous avez ignoré les précédentes ! Même s'il vous est impossible de pardonner, venez à mon secours. Je n'ai pas d'argent, je n'ai rien... Je vous le demande à genoux : aidez-moi, ne soyez pas si dur. Ne pensez-vous pas que j'aie assez souffert ? Vous êtes mon seul recours et j'espère encore... »

Je levai la tête.

— Cette lettre est signée : « Françoise Tregarth », ajoutai-je. Qui était-ce ?

— Je l'ignore. Je peux seulement échafauder des hypothèses. Je sais que le fils de mon oncle Lionel est mort à l'étranger, après s'être enfui du château pour épouser une danseuse française... Je n'étais qu'un enfant à cette époque, et le fils d'oncle Lionel était le cousin germain de mon père, qui n'avait guère de relations avec les Tregarth d'Abinger Hall. N'a-t-on jamais mentionné cette histoire au village ?

— Si, répondis-je. J'ai entendu parler à plusieurs reprises du fils du Vieux Châtelain. On racontait qu'il avait épousé une Française et était allé vivre sur le continent. Son père ne lui a jamais pardonné ce qu'il considérait comme une mésalliance et a toujours refusé de le revoir.

— Le père de Celia Hepton était probablement
au courant de cette affaire, mais je ne crois pas
qu'elle-même sache grand-chose. Elle m'a dit que
c'est peu après la mort de son fils unique que le
Vieux Châtelain s'est mis à vivre en reclus et s'est
désintéressé du domaine...

J'étais assez étonnée que le Jeune Châtelain me
parle de ses histoires de famille avec autant d'abandon. Mais je ne le regrettais pas... Les drames que
je pressentais me passionnaient étrangement.

Il déplia ensuite le parchemin.

— Voici un certificat de mariage. Françoise
Darcy et Anthony Tregarth...

— Pauvre Françoise ! soupirai-je. J'espère que
Lionel Tregarth l'a aidée malgré tout...

— Je me le demande. Savez-vous qu'il n'existe
pas au château un seul portrait d'Anthony ? Je me
demande pourquoi mon oncle a conservé cette minia-
ture... Comment a-t-il pu entrer en possession de ce
certificat de mariage, et pour quelle raison a-t-il
caché tout cela dans ce livre ?

Il remit ce qu'il avait trouvé en place, mais laissa
la couverture ouverte.

— Oncle Lionel a toujours été assez excentrique... Je me demande quelle sera notre prochaine
découverte !

— J'espère que nous n'en ferons pas d'autre !
m'exclamai-je.

Il me lança un regard compréhensif. Nous
n'avions plus jamais reparlé du squelette que j'avais
découvert dans la Chambre Bleue, mais j'étais persuadée qu'il y pensait autant que moi, et se deman-

dait quelle pouvait être l'identité de la pauvre femme qui avait trouvé la mort dans ce château...

Nous reprîmes notre travail. Tout en recopiant les titres et le nom des auteurs sur une page blanche, je ne pouvais m'empêcher de songer à cette jeune femme qui appelait au secours désespérément...

Apparemment, elle ne connaissait pas l'anglais. Lionel Tregarth parlait-il français ? Avait-il su lire cette lettre déchirante ?

Pourquoi, au lieu de cacher ces documents aussi soigneusement, ne les avait-il pas tout simplement détruits ? Le Jeune Châtelain avait raison : son oncle était un excentrique !

— Nous avons assez travaillé ce soir, déclara soudain M. Tregarth, m'arrachant à mes réflexions. Je vous remercie vivement de m'avoir aidé : nous avons fait du bon travail.

Il ne parla pas de ma découverte, et je me gardai bien de la mentionner : ce n'était pas à moi d'aborder un tel sujet !

— Je vous souhaite une bonne nuit, monsieur, dis-je en me dirigeant vers la porte.

Il se leva et l'ouvrit pour moi.

— Bonne nuit, mademoiselle Mountjoy, dit-il presque abruptement, sans me regarder.

Je pris une chandelle sur la table du hall et montai l'escalier, tout en m'étonnant des sautes d'humeur inexplicables du Jeune Châtelain.

CHAPITRE IX

Le lendemain, alors que Dorothy et moi nous promenions à cheval aux alentours du château, et que nous arrivions à proximité de la carrière, elle déclara d'un ton mystérieux :

— Il y a un secret dans la carrière ! Je le connais !

— Vous savez pourtant que vous n'avez pas le droit de venir ici, Dorothy !

— Je n'y suis pas allée depuis que vous me l'avez interdit. C'est avant votre arrivée que j'ai découvert une porte derrière des blocs de pierre !

— Vous devriez oublier la carrière, Dorothy. C'est un endroit dangereux !

— Je vous promets que je n'irai plus, mademoiselle Clara ! Je vous en prie, n'en parlez pas à papa, il me gronderait...

Je n'eus pas le temps de répondre ; M. Tregarth venait à notre rencontre à cheval.

— J'ai une idée ! s'exclama-t-il joyeusement. Il fait si beau que nous devrions pique-niquer près de la rivière !

Dorothy eut une exclamation ravie. J'étais également enchantée... Comme la vie était agréable au château depuis le départ de Celia Hepton !

A l'heure du déjeuner, nous nous installâmes au bord de la rivière, sous un arbre. Dorothy regarda le panier avec gourmandise.

— Je me demande ce que la cuisinière nous a préparé ! Je meurs de faim !

J'ouvris le panier et découvris un poulet rôti, des sandwiches appétissants et du pâté en croûte. Il y avait aussi des gâteaux, des fruits, une bouteille de vin et de l'eau pour Dorothy.

Celle-ci m'aida à disposer les couverts sur une nappe immaculée que nous étendîmes sur l'herbe. Puis nous attaquâmes notre déjeuner avec appétit. Dorothy était encore plus gaie que de coutume. Quant à moi, je nageais dans le bonheur !

— Papa ! s'écria soudain Dorothy. Vous devriez nous emmener faire une promenade en barque !

— Pas aujourd'hui, Dorothy.

— Il fait trop chaud pour que je joue avec ma balle !

— Eh bien ! il fait trop chaud pour que je rame ! Tu devrais cueillir des marguerites et en faire une couronne pour mademoiselle Mountjoy !

Un vent léger agitait les feuilles et les herbes. Il jouait également dans les cheveux d'Henry Tregarth... Nous étions assis l'un près de l'autre et la douceur de cet instant était inexprimable.

Le Jeune Châtelain changea de position, et je réalisai que sa main touchait la mienne. A peine...

Si peu que si je bougeais mon doigt d'un millimètre, ce contact cessait.

Mais je demeurai immobile. Les oiseaux chantaient, la brise rafraîchissait l'atmosphère, et des papillons voltigeaient autour de nous, tandis que des libellules planaient au-dessus de l'eau.

— Etes-vous contente d'assister à ce dîner vendredi ? me demanda soudain M. Tregarth.

— J'espère que le menu choisi vous plaira, déclarai-je. Et vous pouvez compter sur moi pour recevoir vos invités du mieux que je pourrai.

— Aucun problème ?

J'hésitai un instant.

— Ma robe ne sera peut-être pas assez habillée, avouai-je enfin.

— Ah ! la vanité féminine !

— Ce n'est pas de la vanité ! m'exclamai-je vivement. Je crains seulement de... de ne pas assez vous faire honneur.

— Je comprends ce que vous voulez dire. Je vous trouve si jolie que cette question de vêtement ne me tracasse pas, mais je crois avoir une solution...

Il s'interrompit, car Dorothy arrivait, porteuse de deux couronnes de marguerites qu'elle posa sur nos têtes avec un certain cérémonial.

Ce soir-là, après avoir couché Dorothy, je descendis à la bibliothèque où m'attendait M. Tregarth. Un grand carton blanc était posé sur son bureau, et dès que j'entrai, il me le tendit.

— Je pense que cette robe devrait vous aller... Elle avait été faite pour ma femme, mais celle-ci ne l'a jamais portée : elle était trop souffrante.

— Oh ! pus-je seulement dire.

Il avait soulevé le couvercle du carton, découvrant une ravissante robe de soie ivoire.

— Elle est très belle, murmurai-je.

— Allez l'essayer et venez me montrer si elle vous va !

Je ne me fis pas prier et courus jusqu'à ma chambre où j'ôtai hâtivement ma blouse bleue et ma jupe noire pour passer cette merveilleuse robe. Celle-ci était exactement à ma taille : on l'aurait crue faite pour moi !

Quand je fis mon apparition dans la bibliothèque, M. Tregarth eut un sursaut. Il rougit légèrement puis pâlit.

— Vous êtes très belle, mademoiselle Mountjoy ! Cette robe vous va à merveille... Vous la porterez donc vendredi ?

— Volontiers. Si toutefois cela ne vous ennuie pas.

— C'est moi qui vous l'ai proposée !

— Vous êtes vraiment aimable de me la prêter !

— Prêter ! s'écria-t-il. Qui parle de prêt ? Non, mademoiselle Mountjoy, cette robe vous appartient désormais ! Et ne protestez pas, je vous en prie, ajouta-t-il, arrêtant d'un mot les objections que j'étais prête à faire.

*
* *

— Votre fille va devenir une charmante jeune fille, assura Mme Wood en caressant la tête de Dorothy.

Celle-ci se conduisait parfaitement, se contentant de répondre lorsqu'on lui adressait la parole, ce qui était assez fréquent, car les invités du Jeune Châtelain prenaient plaisir à ses réparties vives et intelligentes.

Il y avait là M. et Mme Wood et leurs enfants. Kate, leur fille cadette, devait avoir mon âge, et Roger, l'aîné, semblait être âgé d'environ vingt-cinq ans. Monsieur Tregarth avait également invité un jeune couple, les Yard, qui n'habitaient la région que depuis peu.

Les invités du Jeune Châtelain ne manquèrent pas de s'enquérir de mademoiselle Hepton, mais dès qu'ils apprirent qu'elle avait été appelée à Londres au chevet de sa tante, et que c'était la raison pour laquelle je la remplaçais, ils m'acceptèrent sans difficultés, et surtout sans me traiter de haut, comme je le redoutais.

Ma nouvelle robe m'allait parfaitement, et je me sentais jolie, élégante et heureuse... J'avais fait moi-même les bouquets, m'appliquant à ce qu'ils paraissent aussi réussis que ceux de Celia Hepton. Le dîner se révéla excellent, et les invités m'adressèrent de nombreux compliments.

Roger Wood, en particulier, semblait fasciné par ma présence. Il ne me quittait pas des yeux, et la lueur admirative que je lisais dans ses prunelles me gênait quelque peu.

A la fin du dîner, j'emmenai les dames au salon, tandis que les messieurs se retiraient dans le fumoir.

— Oh, mademoiselle Mountjoy, jouez-nous une valse, je vous en prie ! supplia Dorothy.

— Pas maintenant, Dorothy...

— Peut-être tout à l'heure, quand ces messieurs nous auront rejointes ? suggéra Mme Wood. Si nous bavardions tranquillement ?

Elle adressa un sourire à sa fille.

— Kate est très amie avec Celia Hepton... Mais je crois que toutes deux attendent avec impatience l'époque de la chasse !

— C'est exact, affirma Kate Wood. J'adore chasser ! C'est pratiquement tous les jours que je suis les chasses à courre de la région...

Elle se mit à rire et je réalisai à ce moment combien elle était fraîche et jolie. Sa personnalité semblait plus chaleureuse que celle de Celia Hepton, et c'était probablement la passion de la chasse et des chevaux qui les avait rapprochées.

Madame Yard était une jeune femme d'une trentaine d'années aux manières très douces.

— Ma sœur aînée est gouvernante, déclarat-elle sans préambule. Le jour de ses vingt-six ans, elle a dit à mes parents qu'elle ne se marierait probablement pas et qu'il était préférable qu'elle travaille. Mes parents auraient souhaité qu'elle reste à la maison, mais ma sœur, qui est très indépendante, a préféré partir.

— L'une des gouvernantes de Kate était également d'excellente famille, dit à son tour Mme Wood. Ce qui lui a valu d'épouser un jeune homme de nos amis ! Cela arrive souvent aux jeunes et jolies gouvernantes... Attention, Dorothy,

vous devriez bien garder votre mademoiselle Mountjoy si vous ne voulez pas la voir partir...

— Comment cela ? demanda Dorothy en fronçant les sourcils.

Je changeai rapidement le sujet de la conversation et me mis à parler de la Fête de la Moisson
qui aurait prochainement lieu au château. Puis les
messieurs vinrent nous rejoindre et la conversation
devint générale.

A neuf heures, une femme de chambre vint chercher Dorothy afin de la coucher, car ce soir-là,
exceptionnellement, je ne pouvais m'en charger. Je
le lui avais expliqué, elle avait parfaitement compris
et ce fut très poliment et d'une manière charmante
qu'elle prit congé des invités de son père qui, après
son départ, se répandirent en louanges sur sa gen-
tillesse.

— Je crois que mademoiselle Mountjoy est pour
beaucoup dans la transformation de ma fille, dit le
Jeune Châtelain en souriant.

Je pris cela comme un compliment et mon cœur
se mit à sauter dans ma poitrine...

Madame Wood me demanda ensuite de me mettre au piano, tandis que M. Yard chantait... Cette
paisible soirée passa comme un enchantement. Je
me sentais parfaitement heureuse et détendue, et
seul le regard trop insistant de Roger Wood me
mettait mal à l'aise. Il était évident que je lui plai-
sais, cependant j'aurais préféré qu'il le montre
moins !

Au moment où les invités reprenaient leurs
manteaux, je montai rapidement jusqu'à la nursery

pour m'assurer que Dorothy dormait profondément,
puis je redescendis. Ce fut alors que je surpris entre
deux portes une conversation qui ne m'était pas
destinée.

— Quelle horreur, imaginez ! Trouver le squelette d'une inconnue dans un mur...

Je reconnus la voix de Mme Wood. Il y eut
un murmure, puis elle reprit :

— La fille d'un meunier ? En êtes-vous sûre,
Kate ? J'aurais juré qu'elle était d'excellente famille !

— Moi aussi, dit Mme Yard.

Ainsi, je donnais l'impression d'être de bonne
naissance, me dis-je amèrement. Hélas, il me fallait
travailler pour vivre, et j'étais née dans un pauvre
village...

*
* *

— Eh bien, Clara, demanda Mollie, quand viendrez-vous dormir ici ?

Je jetai un coup d'œil à la chambre dans laquelle
se trouvaient maintenant la plupart de mes meubles :
la petite table et l'étagère que ma mère aimait tant,
la photographie de mon père, mon lit, une commode
ancienne... Tout cela venait d'être apporté par
Abel Wilks qui ne se décidait pas à quitter la pièce.

Les poings sur les hanches, il me considérait
avec un sourire chaleureux.

— Oui, quand viendrez-vous dormir ici ? demanda-t-il à son tour.

Il se montrait de plus en plus familier mais je
ne pouvais pas lui en vouloir, car au fond c'était

un brave garçon qui ne faisait pas mystère de ses intentions : il voulait se marier le plus rapidement possible et installer sa femme au moulin sans tarder.

— C'est difficle en ce moment, Mollie. Dorothy a besoin de moi...

C'était exact. Mais en vérité, je ne voulais pas quitter le château car j'étais désespérément amoureuse d'Henry Tregarth...

J'avais eu vingt ans la semaine précédente, et Dorothy avait insisté pour fêter mon anniversaire. J'avais donc eu droit à un gâteau couronné de vingt bougies.

— Faites un vœu, mademoiselle Mountjoy ! avait demandé Dorothy.

Un vœu ! J'avais alors fait intérieurement celui qui me tenait tant à cœur, et qui n'avait que bien peu de chances de se voir réalisé un jour !

Ma petite élève m'avait ensuite offert une boîte de mouchoirs bordés de dentelles, tandis que son père me remettait un coffret à bijoux en bois précieux incrusté de nacre. Nous avions ensuite passé la soirée au salon, à deviser et à jouer aux cartes, et je ne me rappelais pas ces heures de calme détente sans une douce émotion.

J'avais été également invitée chez les Wood en compagnie du Jeune Châtelain. D'ordinaire, c'était Celia Hepton qu'ils conviaient, mais cette fois, mon nom figurait sur l'invitation...

Il y avait, ce soir-là, une douzaine de personnes, qui m'acceptèrent comme si j'étais des leurs. Cela était dû au fait que les Wood m'avaient invitée, et aussi parce que j'accompagnais Henry Tregarth.

Roger Wood se montrait plus empressé que jamais.

— J'espère que nous nous reverrons très bientôt, me dit-il en me pressant les mains, au moment où je prenais congé. Le soir de la Fête de la Moisson, certainement, mais peut-être avant ?

J'eus l'impression qu'il s'attendait à ce que je lui fixe un rendez-vous et j'étais très embarrassée. Heureusement, la calèche fut avancée et M. Tregarth m'aida à y prendre place.

— Vous êtes-vous bien amusée ? me demanda-t-il sur le chemin du retour.

J'avais passé une excellente soirée... Depuis le départ de Celia, ma vie était devenue un rêve éveillé et je redoutais le moment où elle reviendrait et où son regard froid se poserait sur moi avec hostilité... presque avec haine.

— Oui, monsieur. Les Wood sont réellement très sympathiques, répondis-je.

— Que pensez-vous de leur fils Roger ?

— Je le trouve gentil, fis-je sans malice.

— C'est un Don Juan impénitent !

— Vraiment ? m'étonnai-je. Il semble pourtant extrêmement aimable...

— Justement ! Beaucoup de jeunes filles le trouvent très aimable... Trop, peut-être ! Laissez-moi vous conseiller de vous méfier de ce jeune homme. Vous êtes seule au monde et je serais désolé de vous voir malheureuse par la faute d'un petit séducteur dont la fatuité n'a d'égale que la prétention !

Je le trouvais bien sévère à l'égard de ce pauvre

Roger Wood ! Cependant je ne pouvais lui expliquer que je ne craignais rien des manœuvres de
séduction de ce jeune homme dont les œillades me
laissaient totalement indifférente ! Comment pouvais-je être attirée par Roger Wood alors que mon
cœur était plein d'un autre homme ?

*
*

J'étais tellement plongée dans mes réflexions que
je sursautai quand Mollie posa sa main sur mon
poignet :

— Où êtes-vous partie, Clara ? Que diriez-vous
d'une tasse de thé ? Et vous, Abel Wilks ?

— Une tasse de thé ? Ce ne serait pas de refus !
Ce déménagement m'a donné soif.

Un peu plus tard, alors que nous nous retrouvâmes attablés tous les trois autour de la table de
la cuisine, Abel Wilks me demanda si les rumeurs
concernant la future Fête de la Moisson étaient
exactes.

— Mais oui, assurai-je.

— Il y aura un grand bal ? Dansez-vous, mademoiselle Mountjoy ?

— Bien sûr !

— Alors nous danserons ensemble, déclara-t-il,
les yeux soudain animés à cette perspective.

Après son départ, Mollie me demanda ce que
je pensais de lui.

— Rien, en fait, répondis-je. Il m'est complètement indifférent...

Mollie soupira, tout en me regardant d'un air
soucieux.

— Pauvre Clara ! déclara-t-elle enfin. Le Jeune Châtelain n'épousera jamais la gouvernante de sa fille !

Je rougis vivement en me voyant percée à jour et baissai les yeux.

— Si vous épousiez Abel Wilks, Clara, vous feriez beaucoup d'envieuses parmi les jeunes filles du village ! Le meunier est un bon parti, et c'est un bien brave garçon, croyez-moi !

— J'en suis persuadée, Mollie. Mais je ne l'aime pas, et je ne l'aimerai probablement jamais.

— Vous vivez de chimères, Clara ! Cela n'a jamais fait de bien à personne !

Je repensai à cette conversation tout en regagnant le château, mollement bercée par le pas tranquille de mon cheval. La moisson avait commencé depuis peu et il régnait dans les champs de blé une animation inaccoutumée. De lourds chevaux traînaient les moissonneuses, et des femmes s'agitaient derrière dans une poussière dorée, protégées d'un bonnet et d'un vaste tablier brun. Elles étaient au travail depuis l'aube et ne s'arrêteraient pas avant la tombée de la nuit.

Au château, les préparatifs de la Fête de la Moisson avaient commencé. Le soleil brillait toujours et ce temps sec et chaud semblait vouloir durer éternellement...

J'allai passer une nuit chez Mollie, uniquement pour lui faire plaisir. Mais cela me pesait...

Abel Wilks, qui avait vu mon cheval dans le jardin, nous apporta quelques truites qu'il venait de pêcher. Je lui parlai avec amitié, tout en m'effor-

çant de le tenir à distance, ce qui n'était pas toujours aisé.

Il n'était pas le seul à me manifester de l'intérêt.
A plusieurs reprises, Roger Wood était arrivé à
l'improviste au château, et j'avais bien compris qu'il
faisait ces visites dans l'espoir de me voir.

Henry Tregarth m'avait demandé comment
composer le repas pour la Fête de la Moisson.
J'avais suggéré de préparer des sandwiches et des
gâteaux qui seraient distribués en fin d'après-midi.
Les hommes boiraient de la bière ou du cidre, leurs
femmes du thé, et les enfants de la limonade. Dans
la soirée, un grand bal pourrait avoir lieu en même
temps que le souper.

— Quelle bonne idée ! On dirait que vous avez
organisé des Fêtes de la Moisson toute votre vie !
s'exclama le Jeune Châtelain avec un sourire. Mais
je crains qu'il n'y ait pas assez de place dans les
salons pour le bal !

— Celui-ci pourrait avoir lieu à la fois à l'intérieur et à l'extérieur. Si le temps se maintient au
beau, il serait plus agréable de danser dehors !

Une espèce d'excitation heureuse s'emparait de
moi à la perspective de cette soirée que j'imaginais
comme une grande fête populaire où tout le monde
serait mêlé...

Abel Wilks avait promis d'amener Mollie dans
sa carriole, et je me réjouissais de la venue de ma
vieille amie au château, où elle m'avait dit n'être
jamais venue.

J'avais commandé une nouvelle robe à Chollerford. Celle-ci serait en taffetas crème, et copiée sur

le modèle de la robe que m'avait offerte M. Tregarth.

Dorothy m'aida à faire des guirlandes de papier de couleur vive dont nous décorâmes le hall, tandis que Rosy, la femme de chambre, confectionnait des poupées en paille que nous suspendîmes çà et là.

Tout s'annonçait bien et j'attendais avec impatience le jour de la fête... quand le Jeune Châtelain reçut une lettre de Celia Hepton, qui lui annonçait que sa tante allait beaucoup mieux et qu'elle serait de retour la veille de la Fête de la Moisson... Elle précisait l'heure d'arrivée de son train à Chollerford et demandait qu'on aille la chercher.

Ces nouvelles m'apportèrent une immense déception que je m'efforçai de cacher de mon mieux. Dorothy, quand je lui appris le retour prochain de sa tante Celia, ne parut guère enchantée :

— Quel dommage ! me dit-elle. Nous étions si bien tous les trois...

Sa remarque naïve trouva un écho dans mon propre cœur. La présence de Celia Hepton allait bousculer l'agréable rythme de vie que nous avions pris... Elle allait redevenir l'hôtesse du château et se targuer de ses prérogatives de maîtresse de maison pour me faire sentir que j'étais bien peu de choses !

Il avait été tacitement entendu que ce serait moi qui agirais en qualité d'hôtesse le soir de la Fête de la Moisson. Le retour de Celia Hepton allait modifier tout cela...

J'avais envie de pleurer et ce fut au prix d'un gros effort que je parvins à ravaler mes larmes. Le

seul fait qui me mit un peu de baume au cœur fut
d'apprendre que le Jeune Châtelain n'était pas allé
lui-même à Chollerford chercher Celia Hepton : il
s'était contenté d'envoyer la calèche.

Quand Celia Hepton apparut dans la salle à
manger, le jour de son arrivée au château, j'eus
l'impression que le regard dont elle me toisa était
plus glacial que jamais...

Poliment, je lui demandai comment allait sa
tante.

— Elle va beaucoup mieux, quoiqu'elle se
sente encore très faible, me répondit-elle froidement.

Puis, se tournant vers M. Tregarth, elle lui
adressa un sourire.

— Racontez-moi ce qui s'est passé ici pendant
mon absence, Henry !

Sa voix était comme une caresse et une vague
de jalousie intense me submergea.

— Pas grand-chose, en réalité. C'est demain
qu'aura lieu l'événement de la saison : la Fête de
la Moisson... Cela explique pourquoi nous avons
un dîner aussi simple : les domestiques ont beaucoup à faire !

— Qui sera là ? s'enquit Celia Hepton. Je ne
parle pas des villageois, naturellement... Je veux
dire, qui viendra parmi les gens de notre monde ?

La façon dont elle prononça « gens de notre
monde » m'excluait totalement de ce monde supé-
rieur, moi, gouvernante qu'elle méprisait franchement.

— Les Wood seront là. Les Yard également...
Les Trachers aussi... En fait, toutes les familles

voisines que vous connaissez. Nous aurons un orchestre de Chollerford, et les villageois musiciens ne manqueront pas d'apporter leurs violons et leurs flûtes... J'espère que cette fête sera très gaie !

— Je suis rentrée à temps pour que vous ayez une hôtesse convenable ! lança-t-elle en se levant de table. Ce soir, je me sens un peu fatiguée après ce voyage, mais demain, je serai en pleine forme ! Permettez-moi de me retirer, j'ai besoin de repos. Bonne nuit !

Henry Tregarth ne répondit pas. Il était très pâle et ses mâchoires étaient serrées. Etait-il furieux de la liberté avec laquelle Celia Hepton arrangeait les choses à sa convenance ? J'avais déjà remarqué qu'il était assez autoritaire et détestait être contrecarré, et j'étais persuadée qu'il blâmait Celia Hepton de se conduire avec autant de désinvolture.

N'avait-elle pas quitté sa tante alors que celle-ci était encore souffrante ? Je la soupçonnais d'être revenue afin de voir par elle-même ce qui se passait au château. On avait dû la prévenir que, durant son absence, certaines des tâches qu'elle s'était attribuées m'avaient été confiées, et elle avait probablement tenu à rentrer pour mettre bon ordre à tout cela...

— Mademoiselle Mountjoy, fit soudain le Jeune Châtelain, pouvez-vous redescendre quelques instants après avoir couché Dorothy ?

— Bien, monsieur.

Se tournant vers sa fille, il ajouta :

— Ce soir, Dorothy, je n'ai pas le temps de jouer aux cartes... Il y a encore beaucoup de détails à mettre au point pour la Fête de la Moisson.

Dorothy ne protesta pas. La perspective de cette fête à laquelle elle allait participer l'enchantait à l'avance.

CHAPITRE X

Henry Tregarth, après m'avoir offert un fauteuil, quand je le rejoignis un peu plus tard dans la bibliothèque, déclara sans autre préambule :

— Vous serez l'hôtesse du château demain soir pour la Fête de la Moisson, mademoiselle Mountjoy.

— Mais, monsieur..., protestai-je, Celia Hepton a bien dit qu'elle avait l'intention de reprendre son rôle !

Son regard se durcit.

— C'est moi le maître, ici.

Je me tordis les mains, inquiète à l'avance de la réaction de Celia Hepton. J'avais l'impression qu'une menace encore indécise planait sur moi...

— Que diront les gens ? remarquai-je enfin. Il est certain que j'ai été considérée comme hôtesse une ou deux fois durant l'absence de Celia Hepton, cependant il ne faut pas oublier que je suis seulement la gouvernante de votre fille !

— Le « seulement » est de trop, mademoiselle Mountjoy. Je sais parfaitement qui vous êtes, et aussi ce que vous avez fait pour Dorothy. Mademoiselle Hepton a vécu au château durant de longues années, en tant qu'invitée de mon oncle. Celui-ci n'ayant pas laissé de testament, son domaine m'est revenu puisque j'étais son plus proche parent. Il ne m'est pas venu à l'idée de... de demander à Celia Hepton de quitter les lieux lorsque je me suis installé au château, d'autant plus qu'elle m'a aidé dans les premiers temps : elle connaissait la maison, les voisins, les domestiques... Grâce à elle, mon installation a été facilitée et je lui dois une certaine gratitude. Cela n'implique pas, toutefois, qu'elle prenne certaines décisions à ma place ni qu'elle se conduise comme elle l'a fait ce soir à table. Je n'aime pas ces façons...

Moi non plus, je ne les appréciais guère, et j'étais fort surprise d'entendre le Jeune Châtelain parler d'un ton aussi coupant.

— Dès demain, je lui parlerai, déclara-t-il. Je tiens à mettre les choses au point et à ce que chacun reste à sa place !

A ce moment, un valet de chambre, après avoir frappé, entra dans la bibliothèque et m'annonça qu'Abel Wilks, le meunier, venait d'arriver avec sa carriole et demandait à me voir d'urgence.

— Faites-le venir ici, ordonna M. Tregarth sèchement.

Après le départ du valet, il me jeta un coup d'œil dépourvu d'aménité.

— Savez-vous pourquoi cet homme tient à vous parler ?

— Non, monsieur. Mais s'il s'est dérangé si tard, c'est qu'il s'agit d'un problème important...

J'hésitai un instant.

— Enfin, il me semble, repris-je en fronçant les sourcils, assez intriguée par cette visite inattendue.

Quelques instants plus tard, Abel Wilks fut introduit dans la bibliothèque et, sans même prendre le temps de nous saluer, nous annonça que Mollie était malade.

— C'est elle qui m'envoie, mademoiselle ! Elle demande à vous voir, et elle réclame également un magistrat...

Je pris mon visage entre mes mains.

— Oh ! m'exclamai-je. Pauvre Mollie...

— Je l'ai laissée en compagnie d'une femme du village, poursuivit Abel Wilks. Ma carriole est à la porte... Venez, mademoiselle, je vous emmène immédiatement !

— Vous dites qu'elle demande un magistrat ? intervint le Jeune Châtelain.

— Oui, monsieur.

— Ecoutez, Wilks, vous êtes très complaisant d'avoir fait cette expédition en pleine nuit pour prévenir mademoiselle Mountjoy. Je suis magistrat et vais me rendre au chevet de cette pauvre Mollie... J'emmènerait mademoiselle Mountjoy avec moi.

Une voiture fut attelée en hâte et nous partîmes derrière la carriole d'Abel Wilks. Nous n'échangeâmes pas un mot au cours du trajet qui me parut interminable...

J'étais d'ailleurs trop bouleversée par l'émotion

pour parler. Les larmes glissaient sur mes joues et
je ne songeais même pas à les essuyer.

La pensée de la Fête de la Moisson me traversa.
Je ne pourrais certainement pas y assister, et
Mlle Hepton serait donc hôtesse, ce qui éviterait
beaucoup de froissements de susceptibilités !

Susan Grey, la femme qui était venue soigner
Mollie, apparut sur le seuil dès qu'elle entendit les
voitures. Elle se plia en deux dans une profonde
révérence quand elle aperçut le Jeune Châtelain.

— Mollie est très mal, annonça-t-elle. Très...

Nous la suivîmes au premier étage et entrâmes
dans une petite chambre en désordre. Mollie n'avait
sûrement jamais eu autant de visiteurs à la fois !
Il y avait là le Jeune Châtelain, Susan Grey, Abel
Wilks et moi...

Je m'agenouillai près de son lit.

— Mollie, murmurai-je. Je suis Clara ! Le
Jeune Châtelain est ici également...

Son visage était gris, ses cheveux blancs s'ébou-
riffaient en tous sens, et elle respirait avec difficultés.

— Clara..., soupira-t-elle enfin. Je... J'ai un
aveu à faire. Donnez-moi ma bible ! Et il faudrait...
un magistrat !

— Je suis magistrat, dit doucement M. Tregarth.

Il sortit de sa poche un flacon de cristal qu'il
me tendit.

— J'ai apporté un peu de brandy, vous devriez
lui en donner quelques gouttes. Et vous, Wilks,
ajouta-t-il à l'adresse du meunier, voulez-vous de-

mander à mon cocher d'aller chercher le médecin ?

Le meunier obéit et revint quelques instants plus tard. Mollie avait ingurgité un fond de verre de brandy. Susan Grey lui avait apporté sa bible, sur laquelle elle jura de dire toute la vérité. Puis elle commença à parler d'une voix faible, devant le magistrat et trois témoins :

— Il y a vingt ans, Jenny Mountjoy vivait au moulin. Son fils venait de mourir et sa belle-fille était sur le point d'accoucher. Je l'assistai le jour où elle mit au monde une petite fille de faible constitution qui fut appelée Clara. Le soir-même, un homme masqué vint frapper à ma porte en pleine nuit et me demanda de l'accompagner afin d'aider à la délivrance d'une femme en couches. A cette époque, ajouta-t-elle dans un soupir, j'étais considérée comme la meilleure sage-femme du pays !

Ses mains se crispèrent sur la bible et elle poursuivit :

— L'homme masqué me promit que je serais très bien payée si je jurais de ne parler à personne de la naissance. Tout cela me parut bien mystérieux et je refusai de le suivre, d'autant plus qu'il voulait que je voyage avec un bandeau sur les yeux dans la vieille calèche qui attendait devant ma porte ! Il me jura alors qu'aucun mal ne me serait fait et qu'une pauvre femme souffrait dans les douleurs de l'enfantement, sans que personne dans son entourage soit capable de l'aider. Il me donna un souverain pour me convaincre et j'acceptai enfin de le suivre. Ce fut donc avec un mouchoir sombre sur les yeux que j'effectuai ce trajet...

Elle s'interrompit.

— Continuez, Mollie, murmurai-je.

— J'avais toujours les yeux bandés quand la voiture s'arrêta. On me prit par la main, je sentis que je marchais sur de l'herbe, puis sur des carrelages sonores... On me fit ensuite monter un escalier, et après avoir cheminé le long d'un couloir, on me fit entrer dans une chambre où mon bandeau fut enlevé. L'homme masqué me montra une jeune femme qui gémissait dans un grand lit à baldaquin. « Aidez-la à mettre son enfant au monde », me dit-il. « Et quand vous aurez terminé, sonnez ! » Il indiqua un cordon de velours bleu. Il y avait dans cette pièce tout ce qui m'était nécessaire : un grand feu dans la cheminée, une bouilloire, des serviettes... La pauvre femme ne cessait de se plaindre, mais elle ne put répondre à mes questions. Quand elle parlait, c'était dans un étrange langage dont je ne parvenais pas à comprendre un traître mot.

Mollie cessa de parler. Elle respirait péniblement, et nous étions tous les quatre penchés autour d'elle, attendant la suite de cette étrange histoire. Je lui donnai un peu plus de brandy et elle reprit son récit :

— La jeune femme donna naissance à une petite fille. Elle portait deux bracelets d'or, les mêmes, je l'avais remarqué. Après sa délivrance, elle en ôta un et le passa autour du minuscule poignet de l'enfant. Si le bébé semblait en pleine forme, sa mère paraissait très mal et je compris qu'il fallait la confier à un médecin sans tarder. Je sonnai, mais la pauvre femme mourut entre mes bras avant même

que qui que ce soit arrive... J'avais enveloppé l'enfant dans une couverture et je l'avais posée au creux
d'un fauteuil, car aucun berceau n'était prévu. Enfin
l'homme masqué fit sa réapparition. Il ne parut pas
surpris en constatant que cette femme était morte en
couches... Il me tendit un sac contenant plusieurs
souverains et me dit que j'en recevrais deux fois
autant si j'emportais l'enfant et si je ne parlais
jamais de ce qui était arrivé cette nuit. Je commençais à avoir peur, et j'eus l'impression que si je
laissais cette petite fille à cet homme inquiétant, sa
vie ne tiendrait qu'à un fil... J'acceptai donc sa proposition, et il me ramena chez moi, après avoir
remis le bandeau sur mes yeux.

Mollie se tut encore. Elle était très faible et
cela l'épuisait visiblement de parler ainsi. D'autre
part, je devinais que cela la soulageait de confier
cette histoire qui avait dû beaucoup lui peser au
cours des années...

— Je me retrouvai donc dans mon cottage
avec un bébé dont je pouvais faire ce que je voulais,
ainsi que me l'avait assuré l'homme masqué. Ce fut
alors qu'on se mit à tambouriner à ma porte :
c'était Jenny Mountjoy, en pleurs. Le bébé de sa
belle-fille, qui était très faible, venait de rendre
son dernier soupir. Elle me raconta que sa belle-
fille était profondément endormie, grâce à une tisane
que je lui avais donnée pour qu'elle passe une bonne
nuit, mais qu'elle ne savait comment lui annoncer
la tragique nouvelle. Sa belle-fille avait été déjà
très éprouvée par la mort de son mari, et cette
seconde perte risquait de lui être fatale. Elle se

tordit les mains en répétant : « Comment vais-je lui
dire cela, Mollie ? Comment ? » Ce fut alors qu'une
idée naquit dans mon esprit... Je lui racontai ce qui
venait de se passer et lui montrai la petite fille
nouvelle-née qui était également brune. Pourquoi
ce bébé abandonné n'apporterait-il pas la joie au
moulin ? D'abord, Jenny Mountjoy ne voulut pas
admettre ma suggestion, puis elle accepta enfin...
Nous procédâmes à l'échange des deux bébés... Je...
je vous ai déposée dans le berceau, Clara, et j'ai...
j'ai emporté la petite fille morte...

— Mollie ! criai-je, réalisant seulement maintenant la signification de cette histoire.

Les yeux des auditeurs étaient fixés sur moi. Je
crus que j'allais m'évanouir.

— C'est faux, dis-je avec fermeté. Ce n'est pas
possible... Si je ne suis pas Clara Mountjoy, qui
suis-je ?

— Je... je ne sais pas, dit Mollie d'une voix
faible. Je vous ai emportée avec moi pour quelques
souverains, Clara. Le prix de mon silence... J'ai
gardé le bracelet d'or, vous le trouverez dans ma
malle dont la clé se trouve sous... sous mon oreil-
ler...

Elle parlait de plus en plus faiblement, avec
énormément de difficultés.

— Où avez-vous enterré l'autre bébé ? demanda
doucement M. Tregarth. Dites-le moi, Mollie !

— Je... je l'ai enterré... J'ai dit une... une
prière avant... avant de l'enterrer...

— Où l'avez-vous enterré ? reprit le Jeune Châtelain.

Mollie ne répondit pas. Elle luttait pour respirer, et ses yeux se fermaient. Je compris qu'elle allait mourir...

Ses révélations avaient du mal à m'atteindre... Etais-je réellement une enfant abandonnée ? Sans nom, sans famille. Une enfant dont personne n'avait voulu ? Ces deux chocs terribles me secouaient violemment. Mollie allait mourir, et je n'avais plus d'identité...

Le Jeune Châtelain posa sa main sur mon bras.

— Ne vous mettez pas dans un tel état, mademoiselle Mountjoy, murmura-t-il.

Je tremblais si violemment que mes dents s'entrechoquaient. Le médecin arriva à ce moment et se pencha sur Mollie :

— C'est fini..., dit-il doucement.

Susan Grey se tourna vers moi.

— Il faut prévoir les funérailles, me dit-elle avec son bon sens de villageoise pour qui les naissances et les décès faisaient partie du lot quotidien de la vie.

Je fus incapable de répondre et ce fut M. Tregarh qui régla tous les détails pratiques avec Abel Wilks et Susan Grey.

Barrie se mit à gémir douloureusement. On l'avait laissé dans la cuisine et il avait probablement deviné ce qui venait de se passer.

— Barrie ! m'exclamai-je. Que va-t-il devenir, mon pauvre chien ?

— Nous allons l'emmener au château, naturellement, dit gentiment M. Tregarth.

Un peu plus tard, nous regagnâmes le château. Susan Grey restait auprès de Mollie, ainsi que le lui avait demandé le Jeune Châtelain, qui prenait à sa charge toutes les dépenses nécessaires.

Barrie s'était couché à mes pieds et se plaignait doucement...

Je n'avais pas encore repris mes esprits... J'avais envie de gémir avec lui et ce n'était qu'au prix d'un intense effort que je demeurais silencieuse.

— Mademoiselle Mountjoy, je vous en prie, dit soudain M. Tregarth, ne vous désespérez pas ! Je comprends que cette révélation ait été un choc pour vous... Mais n'oubliez pas que Mollie a toujours été considérée comme une sorcière ! Je ne dis pas qu'il faille mettre ses paroles en doute, car elle a probablement dit la vérité afin de soulager sa conscience, mais rien ne peut être prouvé si les restes de... de la vraie Clara Mountjoy ne sont pas retrouvés. Or Mollie est morte sans avoir eu le temps de nous dire où elle l'avait enterrée.

— Qui suis-je ? demandai-je dans un souffle. Le saurai-je un jour ?

*
**

Le lendemain matin, ce fut un rayon de soleil qui, passant au travers des rideaux, me tira d'un lourd sommeil agité de cauchemars.

Je n'avais réussi à m'endormir qu'à l'aube, après avoir longuement pleuré. Je me demandais aussi comment Celia Hepton allait admettre le fait qu'elle ne serait pas l'hôtesse de la Fête de la Moisson, car le Jeune Châtelain avait insisté pour que je paraisse malgré tout à cette soirée, comme si rien ne s'était passé.

Dans le courant de la matinée, une femme de chambre m'apprit qu'en proie à une terrible migraine, mademoiselle Hepton avait décidé de garder la chambre... Je soupçonnai fort cette migraine d'être diplomatique !

J'appris à Dorothy que Mollie était morte la nuit dernière, mais que tout le monde s'y attendait plus ou moins car elle était très âgée et qu'elle ne se sentait pas bien ces derniers jours. Dorothy parut un peu triste et surprise, mais elle ne fit aucun commentaire...

Les derniers préparatifs de la Fête de la Moisson emplissaient le château d'une joyeuse animation et cela signifiait pour une petite fille de neuf ans une quantité de distractions.

On avait monté des tables à tréteaux sur la pelouse qui s'étendait derrière le château, et à partir du début de l'après-midi les villageois commencèrent à arriver, un peu mal à l'aise dans leurs habits du dimanche.

Le bourrelier fut parmi les premiers. Il était accompagné de sa femme et de sa fille Cathy. Quand, un peu plus tard, Abel Wilks fit son apparition, je fus assez étonnée de voir Cathy rougir vivement... Mon ancienne camarade de jeux serait-elle amoureuse du meunier ?

Abel Wilks avait amené Susan Grey qui m'expliqua qu'elle avait suivi les instructions du Jeune

Châtelain concernant les affaires de Mollie, ce dont je la remerciai.

— J'espère que vous m'accorderez une danse tout à l'heure ! demanda Abel Wilks.

— Nous verrons cela plus tard, répondis-je. L'orchestre n'est pas encore là !

Henry Tregarth me rejoignit peu après :

— Tout va bien ?

Il y avait dans sa voix une douceur inattendue qui m'emplit d'émotion.

— Je crois que les gens sont contents, déclarai-je.

Tout le monde semblait en effet ravi de se trouver au château pour cette fête. Le Vieux Châtelain avait vécu en reclus pendant de longues années, et les villageois se réjouissaient de constater que les choses changeaient et que le Jeune Châtelain participait avec eux aux réjouissances.

Dorothy jouait avec les enfants du village, ils couraient tous à travers les prés et son père la laissait faire, ce qui rendait les parents roses d'orgueil.

On commença à apporter du cidre, et l'atmosphère devint encore plus joyeuse... Pendant un instant, je pensai à Celia qui s'était cloîtrée dans sa chambre et un léger remords m'envahit : ne prenais-je pas sa place ? Je me consolai vite en me disant qu'elle aurait certainement dédaigné ces réjouissances bon enfant.

Quant à moi qui ne m'estimais pas supérieure, j'accueillais chaleureusement les villageois et m'efforçais de veiller au bien-être de chacun.

Je bavardais, souriais, serrais les mains, et en

même temps, il me semblait que ce n'était pas moi qui agissais ainsi mais mon double... Je vivais un peu dans un rêve étrange. Une autre partie de moi-même était restée auprès de Mollie et une petite voix répétait sans cesse dans ma tête ces quelques mots :

— Tu n'es pas Clara Mountjoy ! Tu as été une enfant abandonnée. Jamais tu ne connaîtras ton vrai nom !

Ma mère avait rendu son dernier soupir en me donnant le jour. Avais-je un père ? Oui, avais-je seulement un père ? Etant donné le secret qui avait entouré ma naissance, cela me semblait hautement improbable !

Tout au long de l'après-mid, de la bière et du cidre furent servis, ainsi que des litres et des litres de thé... Les domestiques étaient débordés, mais ils restaient de bonne humeur et semblaient malgré tout participer à l'ambiance joyeuse de la fête.

En fin d'après-midi, j'allai changer ma robe de coton imprimé pour ma robe neuve de taffetas, tandis que Dorothy mettait la robe rose que je lui avais confectionnée pour son anniversaire.

Les invités du bal arrivaient. Le Jeune Châte-lain avait convié toutes les familles des environs. Les Wood furent parmi les premiers, et je vis Roger Wood aller et venir d'un air impatient. Je devinai qu'il était à ma recherche et m'efforçai de l'éviter, car je me souvenais des mises en garde de M. Tre-garth.

On servit à dîner sur les tables à tréteaux qui étaient restées dehors, tandis qu'un repas froid nous attendait dans la salle à manger du château. Le hall était très bien décoré avec des guirlandes de papier, des fleurs, des feuillages et les fameuses poupées de paille que savait si bien réaliser Rosy, la femme de chambre.

Quand les musiciens se mirent à jouer, le Jeune Châtelain s'inclina légèrement devant moi et m'invita à danser. Nous ouvrîmes donc le bal, et peu de temps après, la piste se trouva envahie de joyeux danseurs.

Dorothy elle-même virevoltait entre les bras d'un jeune garçon du village, et j'aperçus Cathy qui dansait avec Abel Wilks.

La gentille Cathy serait une parfaite épouse pour le meunier ! N'avait-il donc pas encore découvert cela ?

— Cette fête est votre œuvre, mademoiselle Mountjoy, dit M. Tregarth tout en dansant une valse entraînante. Je vous suis très reconnaissant d'avoir accepté d'y participer, en dépit du chagrin que vous a causé la mort de Mollie...

— Mademoiselle Hepton ne fera même pas une brève apparition ? demandai-je timidement. Cela... m'ennuie. Je me sens un peu responsable de sa bouderie et je crains qu'elle ne m'en veuille...

— Ne vous occupez pas de mademoiselle Hepton. Si elle veut s'enfermer dans ses appartements, c'est son affaire ! Je n'ai aucune intention de faire ses quatre volontés !

J'oubliai Mlle Hepton pour ne plus songer qu'à la minute présente. J'étais merveilleusement bien dans les bras du Jeune Châtelain, avec sa main emprisonnant la mienne...

Quand l'orchestre se tut, il me guida jusqu'à mon siège et me dit qu'il devait s'absenter un instant mais qu'il reviendrait très vite.

Abel Wilks et Roger Wood se précipitèrent alors vers moi. Roger Wood arriva le premier.

— Accordez-moi cette danse, mademoiselle Mountjoy !

— Réservez-moi la prochaine ! dit Abel Wilks avec autorité.

Il m'adressa un sourire de connivence tandis que je suivais Roger Wood sur la piste. Dorothy dansait toujours... Tous les garçons du village semblaient vouloir l'inviter et elle paraissait ravie de son succès.

— Mademoiselle Mountjoy, me dit Roger Wood après une légère hésitation, j'ai à vous parler... Pourriez-vous m'accorder un court entretien sans témoins ?

— Est-ce si important ?

— Oui.

— Alors, peut-être plus tard...

Il me serrait contre lui d'un peu plus près que la bienséance ne l'exigeait, et les regards passionnés dont il me couvrait me mettaient mal à l'aise.

— Vous êtes adorable, mademoiselle ! Henry n'aurait pas pu mieux choisir son hôtesse pour cette Fête de la Moisson !

— La préparation de cette fête a demandé beaucoup de travail !

Mais Roger Wood se moquait de cela. Il m'étreignit plus fort.

— Mademoiselle Mountjoy, vous vous êtes

montrée tellement distante ces derniers temps ! J'ai multiplié mes visites au château dans l'espoir de vous apercevoir..., en vain, la plupart du temps !

— Cela n'a rien d'étonnant ! N'oubliez pas que je suis l'institutrice de Dorothy et que je passe une grande partie de mes journées à la nursery !

— Vous avez certainement un peu de temps libre...

Heureusement, la danse se termina, m'évitant de répondre aux questions insistantes de Roger Wood.

Abel Wilks était déjà à mes côtés.

— Maintenant, c'est à mon tour de danser avec la plus jolie jeune fille de la fête !

Il dansait bien et semblait d'excellente humeur.

— Savez-vous que je suis venu à la Fête de la Moisson pour vous ? Seulement pour vous !

— Cela m'étonne...

— Vous avez eu une nuit mouvementée. J'ai entendu des révélations qui ne me regardaient pas, en fait... Mais faites-moi confiance, je ne parlerai à personne !

— Merci. Je ne crois pas que Susan Grey soit bavarde non plus...

— Vous devez être terriblement...

Je lui coupai la parole.

— Je vous en prie, ne parlons pas de cela ce soir. La mort de Mollie m'a beaucoup attristée, et je ne suis pas encore remise du choc de sa confession ! Aujourd'hui, je préférerais ne pas y penser... Mais je dois vous remercier de vous être montré serviable.

— C'est naturel. Vous savez, j'ai l'habitude de

vivre seul et d'aider mes voisins, mais par moments, la solitude me pèse...

Il m'adressa un sourire dont je voulus ignorer la signification. Je remarquai que le Jeune Châtelain ne nous quittait pas des yeux... Il dansait avec Cathy, et celle-ci paraissait tout intimidée de se trouver dans les bras du Jeune Châtelain...

Abel Wilks tint à danser avec moi deux fois de suite, en dépit de mes protestations.

— Nous ne pouvons pas danser ensemble tout le temps !

— Je fais des envieux ! répliqua-t-il en riant.

Roger Wood semblait en effet furieux de devoir attendre au bord de la piste et regardait le meunier comme s'il s'apprêtait à le provoquer en duel.

Quand Abel Wilks me libéra enfin, Dorothy accourut vers moi, rose de plaisir et d'excitation.

— J'ai faim, mademoiselle Clara ! Voulez-vous venir avec moi jusqu'au buffet de la salle à manger ? J'ai aperçu beaucoup de bonnes choses...

Nous nous dirigeâmes vers les pièces de réception où par petits groupes, les invités devisaient tranquillement.

— Alors, mademoiselle Dorothy, qu'aimeriez-vous manger? demanda Sim à la petite fille.

Je mangeai quelques canapés, tandis que Mme Wood bavardait à bâtons rompus :

— N'est-ce pas une fête merveilleusement réussie ? Et tellement sans façons... Kate s'amuse beaucoup ! Mais quel dommage que Celia soit malade ! Dorothy semble pleine d'entrain... Comme ces petits fours sont délicieux ! Voilà Roger !

Roger Wood faisait son apparition dans la salle à manger. Il se dirigea immédiatement vers nous.

— C'est donc l'heure de la collation ? Je vais vous chercher un peu de vin, mademoiselle Mountjoy !

Il m'apporta un grand verre de cristal.

— Du bordeaux..., précisa-t-il en me le tendant.

Je le bus à petites gorgées, tout en écoutant Dorothy se vanter d'être invitée à danser sans arrêt.

— Même papa m'a fait valser ! annonça-t-elle triomphalement.

Le Jeune Châtelain ne m'avait invitée qu'une seule fois, et je regrettais de ne pas apercevoir sa haute silhouette dans les salons. Comme j'aurais souhaité me trouver à nouveau dans ses bras et tourner, tourner follement !

— Ne vous éloignez pas de la piste de danse ni des salons, n'est-ce pas, Dorothy ? dis-je au moment où la petite fille partait en courant après avoir déclaré qu'elle retournait danser.

— Accepteriez-vous de marcher pendant quelques instants avec moi dans le parc, mademoiselle Mountjoy ? demanda Roger Wood. J'ai besoin de vous voir seule !

Que pouvait-il bien avoir à me dire ? Il m'offrit un second verre de bordeaux, que je bus par politesse, car je n'avais plus soif et que je n'étais guère habituée à boire du vin.

Il me sembla soudain que tout tournait autour de moi et je me cramponnai au dossier du fauteuil le plus proche.

— Le grand air vous remettra. Venez ! dit Roger Wood d'un ton rassurant.

Il me prit le bras et m'entraîna au dehors. S'il ne m'avait pas soutenue, je me serais probablement écroulée, car mes jambes ne me portaient plus...

— Je... je ne me sens pas bien, balbutiai-je.

Il me fit descendre le perron et m'emmena vers les allées obscures à quelque distance de là.

— Marchez un peu... Ce petit étourdissement ne durera pas !

M'entourant de son bras, il me guida vers les bosquets tellement silencieux en comparaison de l'animation qui régnait autour du château ! Les bruits s'estompaient... Je n'entendais plus qu'à peine la musique, les rires et les éclats de voix.

Soudain, Roger Wood me poussa dans l'ombre, à l'abri des grands arbres et, m'étreignant, me couvrit le visage de baisers.

— Clara, vous êtes adorable ! Oh, laissez-moi vous embrasser...

Sa bouche s'écrasa brutalement sur la mienne. Je crus que j'allais m'évanouir, tant je me sentais mal, et aussi tant ses baisers me répugnaient.

— Arrêtez ! fis-je d'une voix faible, presque inaudible. Ramenez-moi au château...

— Certainement pas ! Croyez-vous que si j'ai pris toute cette peine pour vous amener ici, c'est pour recevoir ma récompense !

Il me faisait peur, maintenant et je le détestai.

— Laissez-moi ! criai-je.

Il plaqua sa main sur ma bouche.

— Je vous en prie, pas de comédie ! Vous

saviez bien ce qui vous attendait quand je vous ai demandé de me suivre !

Je me débattis de toutes mes forces...

— Laissez-moi !

— Allons, cessez de jouer les grandes dames. Je sais parfaitement que vous n'êtes que la fille d'un meunier ! Vous n'êtes qu'une petite paysanne et...

Il s'interrompit brusquement, car une main venait de s'abattre sauvagement sur son épaule et, le tirant en arrière, l'obligeait à me lâcher.

— Que faites-vous ici avec mademoiselle Mountjoy ? s'écria Henry Tregarth.

Il y avait tant de colère dans sa voix que j'en fus effrayée.

— Oh... euh, Henry... mademoiselle Mountjoy s'est sentie mal, et... et je l'ai amenée à l'air frais.

Le Jeune Châtelain serra les poings, tandis que Roger Wood reculait de quelques pas, visiblement épouvanté par la détermination qu'il lisait dans les yeux de son hôte.

— Je... je vous en prie, Henry, ne faites pas un drame de cette affaire de rien du tout !

— Comment osez-vous vous conduire ainsi ? fulmina le Jeune Châtelain. Chez moi ?

Je crus un instant qu'il allait frapper son invité, et ce ne fut qu'au prix d'un effort intense qu'il réussit à se calmer.

— Venez, mademoiselle, me dit-il.

Il me prit le bras et me ramena vers le château. Je n'avais pas encore retrouvé mon équilibre et je vacillais à chaque pas. Roger Wood marchait en arrière.

— Avez-vous bu, mademoiselle ? me demanda soudain le Jeune Châtelain.

— Seulement les deux verres de bordeaux que monsieur Wood m'a apportés ... Je les ai mal supportés.

— Il y a dû y ajouter quelque poudre de son invention ! Je suis sûr qu'il est très expert en ce domaine, mais il n'utilisera pas ses recettes chez moi !

Il était toujours obligé de me soutenir, car mes jambes en coton me refusaient pratiquement tout service.

— Je vais demander à une femme de chambre de vous conduire à la nursery ainsi que Dorothy !

Il m'installa dans un fauteuil et partit à la recherche de sa fille qu'il ne tarda pas à ramener, en dépit de ses protestations. Puis il fit signe à Rosy qui passait par là :

— Voulez-vous emmener mademoiselle Mountjoy dans sa chambre, Rosy ? Elle ne se sent pas bien... Je vous demanderai également de mettre Dorothy au lit.

CHAPITRE XI

Lorsque je me trouvai étendue dans mon lit, après que Rosy m'eût aidée à me déshabiller, j'eus l'impression que les meubles et le lustre qui pendait au plafond tournaient, tournaient dans une danse folle...

Je ne tardai pas à fermer les yeux et à sombrer dans un profond sommeil.

Ce fut un coup léger frappé à ma porte qui me tira de ce sommeil hypnotique. Rosy apparut, chargée d'un plateau sur lequel était disposé un appétissant petit déjeuner. Dorothy la suivait.

— Bonjour, mademoiselle, comment vous sentez-vous ce matin ? me demandèrent-elles d'une même voix.

Il y avait de l'anxiété dans les yeux de Dorothy et je m'empressai de la rassurer.

— Je vais beaucoup mieux, assurai-je. Dès que je serai levée, je pourrai vous donner vos cours comme à l'ordinaire, Dorothy.

Mes tempes bourdonnaient, j'avais un terrible mal de tête, mais je sentais que je devais me forcer... Brusquement, je me rappelai que Mollie était morte et un morne désespoir m'envahit.

Après la mort de ma grand-mère, j'avais considéré Mollie comme étant ma seule famille, et Mollie aussi avait disparu...

Puis la petite voix intérieure qui s'était tue pendant quelque temps s'éleva de nouveau :

« Tu n'es pas Clara Mountjoy... »

Le beau temps avait cessé. On aurait cru que le soleil avait tenu à briller jusqu'au jour de la Fête de la Moisson... Maintenant de lourds nuages pesaient à l'horizon, et bientôt une pluie tenace se mit à battre les vitres.

Dans l'après-midi, Sim m'avertit que le Jeune Châtelain me demandait. Je descendis immédiatement à la bibliothèque où M. Tregarth, après m'avoir saluée, m'offrit un siège.

— Etes-vous mieux, aujourd'hui, mademoiselle Mountjoy ?

— Nettement, monsieur. Je vous remercie.

Je me sentais très mal à l'aise et tentai de m'excuser :

— Je suis désolée de... de ce qui s'est passé la nuit dernière. Je n'aurais pas dû sortir...

Il me coupa la parole.

— Ce n'était pas votre faute, assura-t-il. En tous cas, j'ai été bien inspiré en allant à votre recherche... Oubliez ce désagréable incident, mademoiselle Mountjoy... Vous avez été une hôtesse parfaite et cette fête était très réussie, c'est le seul souvenir que vous devez garder de cette soirée !

Il posa la longue main sur l'acajou verni de sa table de travail.

— Je vous accompagnerai demain au village pour les obsèques de Mollie. Nous irons ensuite au cottage...

*

Toute la nuit, la tempête fit rage, et il pleuvait toujours quand, le lendemain matin, M. Tregarth et moi prîmes la route du village. Les fossés qui bordaient le chemin étaient pleins à ras-bord d'une eau boueuse, et des ruisseaux couraient çà et là en cascade.

— Plusieurs arbres ont été arrachés par la tempête au cours de la nuit, remarqua le Jeune Châtelain. La tornade semble avoir fait beaucoup de ravages... Heureusement, la moisson était terminée !

Je lui étais reconnaissante de m'accompagner aux obsèques de Mollie. Au cours du trajet, je repensai aux dernières paroles de ma grand-mère : « Dans la terre non consacrée... comme un chien ! »

Il y avait peu de monde aux funérailles de Mollie, qui ne comptait guère d'amis parmi les habitants du village. Je constatai avec une certaine satisfaction qu'Abel Wilks était présent, ainsi que Susan Grey. Ce fut avec eux que nous retournâmes ensuite en direction du cottage où Mollie avait passé toute sa vie.

— Oh ! s'écria Abel Wilks. Regardez, le saule a été déraciné !

Il était tombé sur la berge et la plupart de ses branches baignaient dans la Sedge. La chute de cet

arbre semblait presque symbolique, après la mort
de Mollie...

Nous entrâmes dans le cottage qui me parut
misérable et désolé. Mollie avait dit qu'elle souhaitait que je prenne possession de tout ce qu'elle avait,
comme si la pauvre Mollie avait jamais pu détenir
quelque objet de valeur !

— Avez-vous songé à prendre la clé de la malle
avec vous ? me demanda M. Tregarth.

Susan Grey me l'avait donnée peu après la mort
de Mollie. Je la lui tendis et, ensemble, nous montâmes dans la chambre de ma vieille amie.

Je me souvenais bien de cette malle dans laquelle
Mollie avait trouvé des coupons pour me confectionner deux blouses habillées, l'une de soie bleue
et l'autre de dentelles ! Lorsque le Jeune Châtelain
en souleva le couvercle, mes souvenirs se trouvè-
rent ravivés et j'étouffai un sanglot.

— Il y a de l'argent, fit M. Tregarth en me
montrant plusieurs pièces d'or. Et puis...

Il s'interrompit.

— Et puis un bracelet, reprit-il enfin, après un
long silence. Le reconnaissez-vous ?

— Oui, murmurai-je. Et vous ?

— Oui...

C'était un bracelet d'or affectant la forme d'un
serpent dont deux pierres rouges figuraient les yeux.
Une nausée me gagna quand je me rappelai le
squelette de la Chambre Bleue... C'était à son poignet que j'avais vu un bracelet identique à celui-ci.

Dans un état de choc difficile à décrire, je suivis
le Jeune Châtelain au rez de chaussée. Susan Grey

nous proposa une tasse de thé que nous acceptâmes sans façons.

Ce fut au moment où je trempais mes lèvres dans le liquide brûlant que la porte de la cuisine s'ouvrit brutalement. Abel Wilks apparut sur le seuil, les yeux dilatés.

— Venez voir ! cria-t-il. Oh, vite, vite, venez...

Il nous conduisit auprès du grand saule déraciné. Dans la boue reposaient quelques os minuscules et un petit crâne...

**

— Asseyez-vous, mademoiselle, déclara M. Tregarth au moment où j'entrai dans la bibliothèque.

Il jeta un coup d'œil au bracelet d'or qui brillait à mon poignet..., le bracelet en forme de serpent.

— Mademoiselle Mountjoy, j'estime que des investigations plus poussées devraient être faites. Et je suppose que c'est également votre avis ?

— Oui, monsieur.

— Je crois pouvoir vous éclairer...

Il sortit d'un tiroir le journal de Lionel Tregarth, le certificat de mariage unissant le fils de ce dernier à Françoise Darcy, et enfin les deux miniatures.

— Vos parents, me dit-il simplement, Anthony Tregarth et sa femme Françoise, née Françoise Darcy.

Je demeurai figée, sans pouvoir quitter des yeux les miniatures... La stupéfaction me pétrifiait.

Le Jeune Châtelain, qui avait probablement

réfléchi longuement au problème, ouvrit le journal de son oncle :

— « *J'ai réussi à me débarrasser de la preuve !* » Cette preuve, mademoiselle Mountjoy, c'était vous ! Vous êtes la petite-fille de Lionel Tregarth, et nous sommes cousins... d'assez lointains cousins, au troisième degré. Mais cousins malgré tout !

Je pris ma tête entre mes mains.

— Je... je suis née dans la Chambre Bleue ! Cette jeune femme qui implorait l'aide du Vieux Châtelain était ma mère, et elle, elle...

Ma voix se cassa quand je me remémorai l'atroce vision de ce poignet squelettique portant encore un bracelet, et dont l'un des doigts osseux était orné d'une alliance.

— Oh, non ! m'écriai-je d'une voix étouffée. Non... Ce n'est pas possible !

— Vous avez un nom, mademoiselle Mountjoy, dit doucement le Jeune Châtelain. Vous disiez que vous ne sauriez jamais qui vous étiez, mais vous l'avez découvert ! N'est-ce pas miraculeux, en quelque sorte ?

Je relevai la tête, en larmes.

— Je suppose que sa présence au château était tenue secrète !

— Comment aurait-on pu cacher une jeune femme ici ? Cela me semble impossible !

— Le vieux William, qui s'occupe des chevaux du domaine depuis plus d'un demi-siècle, était au courant... Je l'ai interrogé ce matin ! C'est lui qui, avec l'aide d'un valet en qui mon oncle avait toute confiance, a... a muré le corps de votre mère.

— Je ne peux croire que les serviteurs n'aient rien remarqué !

— William m'a expliqué que ceux-ci étaient intrigués. Il y avait à la lingerie des vêtements qui ne pouvaient pas appartenir à Lionel Tregarth, de toute évidence... Le valet montait des plateaux deux fois par jour, sans que nul sache à qui ils étaient destinés... Une servante prétendait également avoir entendu des sanglots dans la Chambre Bleue.

— Voilà probablement l'origine des rumeurs concernant cette chambre... Beaucoup des domestiques sont persuadés qu'elle est hantée !

— Très certainement.

— Mais comment William a-t-il consenti à garder le silence ? explosai-je. Lui et ce valet savaient qu'un enfant était né et qu'il avait été confié à Mollie...

— Mon oncle leur avait fait jurer le secret. Je suppose qu'il leur a également remis une forte somme, mais William ne m'en a jamais parlé, et cela ne m'intéresse pas ! D'autre part, quel avantage pouvaient tirer ces serviteurs fidèles à répandre des ragots sur le compte de leur maître ?

— Si le Vieux Châtelain tenait tant à effacer l'existence de ma mère, pourquoi a-t-il gardé tous ces documents ? demandai-je en indiquant ce que nous avions trouvé dans un vieux livre.

— Peut-être a-t-il été en proie à un remords tardif ?... Ou bien il s'est persuadé que ces documents étaient en sécurité tant que lui-même était en vie. Mais qui peut jamais prévoir la date et l'heure de sa fin ?

Henry Tregarth referma le journal qu'avait tenu son oncle et me regarda longuement.

— Ce n'est pas pour vous parler de cela que je vous ai demandé de descendre, mademoiselle Mountjoy.

— Non ? m'étonnai-je.

— Mademoiselle Montjoy, depuis que vous êtes apparue au château, c'était un peu un rayon de soleil qui pénétrait dans ce sévère domaine...

Il s'approcha de moi et me prit les mains.

— J'ai immédiatement éprouvé à votre égard des sentiments très tendres, mais je tenais à attendre quelque temps, afin d'être sûr de la force de mon amour...

Il se pencha.

— Clara, murmura-t-il. Je vous aime, et je veux que vous soyez ma femme !

Je demeurai silencieuse, trop profondément troublée pour trouver quoi que ce soit à répondre. Mon rêve devenait réalité... Moi, la fille du meunier, la gouvernante du château, j'étais demandée en mariage par le Jeune Châtelain !

J'eus un léger sursaut en pensant que je n'étais pas vraiment la fille du meunier, mais une Tregarth ! Je venais d'apprendre que j'étais de noble lignée, mais je ne l'avais pas encore réalisé vraiment.

— Je vous aime et je veux que vous soyez ma femme, répéta Henry Tregarth en m'étreignant les mains.

— Oh, monsieur !... murmurai-je.

Brusquement, je me mis à pleurer. L'instant

d'après, nous étions dans les bras l'un de l'autre et les mots étaient devenus inutiles.

— Ma chérie, murmura-t-il après que nous ayons échangé de fougueux baisers. Ma chérie... Mon premier mariage n'a pas été heureux, et quand je suis devenu amoureux de vous, je me suis tout d'abord méfié, craignant de souffrir à nouveau. Or mes sentiments n'ont cessé de grandir...

— Comme les miens, dis-je à voix basse. Mais j'essayais de lutter, car je savais bien que jamais vous ne consentiriez à épouser la fille du meunier, la gouvernante...

Ses lèvres se posèrent sur les miennes.

— Chut, ma chérie... Avez-vous déjà oublié qui vous êtes ? Et même si vous étiez demeurée Clara Mountjoy, je vous aurais demandée en mariage, car j'estimais que j'avais le droit de choisir mon épouse sans obéir à de stupides conventions !

Un éclair zigzagua dans le ciel, puis le tonnerre roula, et la pluie se remit à tomber avec violence.

— De nouveau le mauvais temps, soupira le Jeune Châtelain.

— Dorothy est seule dans la nursery, je vais aller la retrouver : je crains qu'elle ne soit effrayée.

Henry posa son front contre le mien.

— Il y a une autre bonne raison à ce mariage, dit-il en souriant : vous aimez Dorothy et elle vous adore !

Presque malgré moi, je demandai :

— Et Celia Hepton ?

Il haussa les épaules.

— Nous n'avons rien à faire de Celia Hepton !

Elle ne peut pas vivre éternellement ici. J'ai l'intention de la mettre au courant de la situation, quoique je préfère que nos fiançailles restent secrètes pour le moment. Nous pourrons parler à Dorothy d'ici quelques jours...

Je fermai les yeux. Les coups de théâtre ne cessaient de se succéder dans ma vie à une cadence accélérée. Il y avait eu d'abord la mort de Mollie, puis la révélation de ma naissance, et enfin la demande en mariage du Jeune Châtelain !

— Etes-vous heureuse, ma chérie ?

Les larmes roulaient sur mes joues, ce qui ne m'empêchait pas d'être submergée d'un bonheur tellement intense que j'avais peine à y croire...

L'orage grondait toujours tandis que je me dirigeais vers la nursery, mais je n'y prêtais pas attention. Je ne voyais pas les éclairs illuminer le ciel plombé, je n'entendais pas le tonnerre, pas plus que la pluie qui déferlait rageusement sur le château.

Une seule pensée m'absorbait : Henry Tregarth m'aimait ! Henry Tregarth venait de me déclarer son amour et souhaitait m'épouser !

La pensée que Mollie était venue aider à ma naissance, quelque vingt ans auparavant, me semblait encore incroyable. J'étais donc une lointaine cousine du Jeune Châtelain ! Mais c'était avant d'apprendre cela qu'il s'était épris de moi, il avait tenu à me le répéter. Même si j'étais restée Clara Mountjoy, simple gouvernante, il m'aurait épousée, n'était-ce pas merveilleux ?

— Croyez-vous que la pluie va durer longtemps, mademoiselle Clara ? me demanda Dorothy. Nous avons eu une longue série de beaux jours, cela ne peut durer éternellement...

— Nous n'allons pas pouvoir sortir.

— Probablement pas.

Je répondais d'un air absent, et ce fut sans enthousiasme que je déclarai :

— Allons, venez, Dorothy. Nous avons une leçon de géographie à revoir...

Il plut durant toute la journée, et il pleuvait toujours quand j'emmenai Dorothy dîner à la salle à manger, où Celia Hepton ne se montra pas.

— Celia est donc encore souffrante ? demandai-je à Henry.

— Elle a fait une apparition il y a une heure, et après notre conversation, je crois qu'elle a eu une grave rechute, dit-il avec un sourire sarcastique.

Je compris qu'il l'avait mise au courant de nos projets et je me demandai ce qu'elle allait faire. Quitter immédiatement le château ?

Je me rappelai qu'elle m'avait toujours considérée avec hostilité. Elle pressentait une rivale en moi, même dans les premiers temps, quand j'étais persuadée que mon amour demeurerait sans espoir. Comme elle devait maintenant me haïr !

Elle avait grandi au château, elle avait fait tout ce qui était en son pouvoir pour conquérir l'amour du Jeune Châtelain et devenir la maîtresse incontestée du domaine. Si les domestiques avaient deviné ses intentions, ainsi que je l'avais appris grâce aux conversations surprises par Dorothy, le Jeune Châtelain devait également s'en douter !

J'étais persuadée qu'il avait su toujours demeu-

rer maître de la situation. Il avait attendu qu'elle
annonce d'elle-même son départ, et ç'avait seulement été contraint et forcé par les événements qu'il
avait dû lui dire les choses plus nettement.

Après le dîner, M. Tregarth me demanda de
venir avec Dorothy dans la bibliothèque où nous
nous mîmes à jouer aux cartes. Comme nous étions
bien, tous les trois, devant le grand feu qui craquait
joyeusement dans la cheminée ! Cette soirée était
l'une des plus belles de ma vie.

Il allait me falloir encore longtemps avant de
m'adapter à ma nouvelle situation. J'avais eu tellement l'habitude de me considérer comme la fille du
meunier d'un village puis comme une gouvernante
d'humble naissance, que la révélation de ma vérita-
ble identité ne me semblait pas encore tout à fait
réelle.

J'étais cependant heureuse de savoir qui j'étais
vraiment. Ma mère avait vécu et pleuré dans la
Chambre Bleue en attendant ma naissance...

Je rencontrai le regard d'Henry. C'était un regard
plein d'amour qui fit battre mon cœur plus vite.
Nous parvenions à nous dire tant de choses avec
nos seules prunelles... Il nous était difficile de parler
ouvertement devant Dorothy, cependant cela ne
nous pesait pas : elle faisait partie de notre univers
et jamais il ne me serait venu à l'idée de la considérer comme un tiers gênant.

Après avoir mis Dorothy au lit, je retournai à la
bibliothèque, ainsi que l'avait demandé Henry. Nous
passâmes le reste de la soirée à bavarder et à faire
de multiples projets...

Ce fut sans réticence que le Jeune Châtelain me parla de sa première femme, et ses propos me confirmèrent ce que Dorothy m'avait déjà appris...

— Je savais qu'elle avait un amant, c'est pourquoi j'ai choisi de vivre ailleurs... Je ne lui ai jamais fait de reproches au sujet de cet homme, car j'avais pitié d'elle, sachant combien peu de temps il lui restait à vivre. Je désirais que les quelques mois qu'elle devait encore passer sur cette terre soient les plus heureux possible. Quand sa fin fut proche, je fis venir cet homme, ce qui le surprit beaucoup, mais cela me semblait assez logique dans son illogisme... Il y avait bien longtemps que je ne ressentais plus le moindre élan pour elle, notre amour était mort, et par conséquent la jalousie ne pouvait exister...

Je découvris alors que je n'avais jamais éprouvé de jalousie à l'encontre de sa première femme.

— Aujourd'hui, déclarai-je soudain, j'ai eu l'impression de vivre un rêve. Il est arrivé tant d'événements ! Je sais maintenant qui je suis — quoique je n'arrive pas aisément à me faire à cette idée ! Mais il y a d'autres choses que j'ignore...

— Beaucoup de faits nous demeureront inconnus. Cependant l'histoire de Mollie est authentique, ainsi que différentes pièces nous l'ont prouvé.

— Cette histoire est tellement triste...

Je posai ma main sur son poignet et, après avoir hésité un instant, me décidai à parler :

— Vous savez, Henry... Je n'ai jamais osé le dire à qui que ce soit, mais j'ai vraiment entendu quelqu'un sangloter quand je dormais dans la

Chambre Bleue, avant que... que le squelette de ma mère n'y soit découvert !

— Je vous en prie, ma chérie, ne vous laissez pas impressionner !

— J'ai vraiment entendu quelqu'un sangloter dans la Chambre Bleue, répétai-je avec force. A plusieurs reprises !

— Ce devait être le vent dans la cheminée, ma chérie ! Il y a probablement une explication très plausible à ce phénomène !

— Je savais bien que vous ne voudriez pas me croire... Je vous avoue que j'ai été heureuse de quitter cette chambre !

Il m'embrassa.

— Si vous insistez, j'accepte de vous croire... Il est arrivé tellement d'événements étranges dans ce château qu'un de plus ou de moins...

Il me parlait avec tendresse, mais je devinais qu'il n'ajoutait pas foi à mes déclarations.

*
**

Le temps ne s'améliora pas au cours des jours suivants. Dorothy et moi demeurâmes confinées dans la nursery, tandis que Celia se claquemurait dans ses appartements.

Le Jeune Châtelain avait confié aux autorités de Chollerford tout ce que nous avions découvert dans le vieux livre, ainsi que les attestations des témoins ayant entendu les dernières révélations de Mollie.

Les restes de la petite Clara Mountjoy reposaient maintenant dans le cimetière du village.

Si ma grand-mère, ou du moins celle que dans mon cœur je considérais toujours ma grand-mère, même si aucun lien de parenté ne nous unissait vraiment — pouvait voir cela du ciel, elle devait se trouver rassurée. Je comprenais enfin la signification de ses dernières paroles : « Dans la terre non consacrée... Comme un chien ! ». Elles avaient trait au corps de ce bébé que Mollie avait enterré en cachette, au pied du grand saule.

Celia Hepton n'avait encore soufflé mot de ses intentions à qui que ce soit, ce qui agaçait vivement Henry.

— Dès que ce mauvais temps aura cessé, je lui demanderai ce qu'elle souhaite faire. Elle ne peut pas rester ici indéfiniment !

Dorothy était d'une humeur détestable. Je sentais qu'un accès de colère s'annonçait... Elle en avait déjà eu un ou deux, dont j'avais eu grand mal à venir à bout.

Je savais bien que c'était le fait de demeurer continuellement enfermée qui la rendait aussi nerveuse qu'un animal sauvage en cage. Elle avait besoin de se dépenser physiquement et nos longues marches lui manquaient.

Cela faisait également plusieurs jours qu'elle n'avait pas monté son nouveau poney. Mais comment aurions-nous pu sortir, alors que les averses se succédaient presque sans interruption ?

Sa colère éclata enfin. Elle jeta ses livres sur le parquet et se mit à taper du pied... Malheureusement pour elle, son père entra à ce moment dans la salle de classe.

— Dorothy, dit-il sèchement, je ne permets pas une telle conduite ! Tu ne descendras plus dîner avec nous jusqu'à nouvel ordre.

Je ne pouvais pas aller à l'encontre des décisions de son père, cependant cela me fit de la peine de voir Dorothy s'écrouler sur son pupitre, en larmes.

Ce soir-là, je descendis donc seule, à la salle à manger, assez triste de devoir laisser Dorothy dans la nursery en compagnie de ses jouets et d'un plateau que venait de lui apporter une femme de chambre.

A ma grande surprise, Celia apparut à table, vêtue d'une élégante robe de velours gris. Son visage était pincé tandis qu'elle me saluait, et son regard plus haineux que jamais.

— J'espère que vous êtes en meilleure santé, lui dit Henry poliment.

— En meilleure santé ? répéta-t-elle avec un rire déplaisant.

— Nous avons eu un bien mauvais temps, dit le Jeune Châtelain en dépliant sa serviette. Il n'y a eu guère de réceptions possibles dans le voisinage...

— Je ne pense pas que vous vous intéressez aux mondanités en ce moment ! lança-t-elle.

De toute évidence, elle était de mauvaise humeur. Si elle devait quitter la place, elle ne la quitterait pas sans bruit !

Me jetant un coup d'œil dépourvu d'aménité, elle déclara soudain :

— J'ai appris que cette vieille sorcière, votre amie, était morte. Bon débarras !

Henry serra les poings.

— Voulez-vous quitter cette pièce, je vous prie. Je vous interdis d'insulter mademoiselle Mountjoy et ses amis défunts !

Celia éclata de rire.

— Voyez-vous cela ! Je n'ai pas le droit de toucher un seul cheveux de cette fille, qui je vous le rappelle, Henry, n'est autre qu'une gouvernante ! Une domestique, en fait ! Vous serez la risée de tout le pays, si jamais vous commettez la sottise de l'épouser !

— Ce sera vous qui serez la risée de la région, si vous continuez à vous conduire de cette façon, dit Henry d'une voix dangereusement calme.

Elle se tourna vers moi.

— Et vous, espèce de petite idiote ! cria-t-elle. Vous pensez qu'Henry Tregarth vous aime ? Mais ne voyez-vous pas qu'il cherche à récupérer le château par tous les moyens ! Il m'a raconté comment vous avez découvert votre prétendue identité. Si vous êtes la petite-fille de Lionel Tregarth, le château vous revient ! C'est le domaine qu'aime Henry Tregarth, pas vous ! Et pour le conserver, il est prêt à ruiner sa propre vie et la mienne !

— La vôtre ? l'interrompis-je d'une voix rauque.

— Oui, Nous étions tellement heureux avant votre arrivée au château ! Croyez-vous réellement qu'Henry Tregarth ait pu jamais apprécier votre douceur insipide ? Lui et moi étions destinés l'un à

l'autre, et vous avez tout gâché ! Mais n'oubliez pas
que vous avez été élevée comme la fille d'un meunier, et toute votre vie vous resterez une paysanne,
car vous n'avez reçu aucune éducation vous permet-
tant de tenir un rang quelconque dans la société !
N'oubliez pas non plus que votre mère était une
danseuse !

Elle ricana et répéta avec mépris :

— Une danseuse ! La fille d'une danseuse élevée dans un pauvre village avec des gens de rien !
Voilà ce que vous êtes !

— Sortez, Celia ! ordonna Henry Tregarth, les
mâchoires crispées. Sortez ou je ne réponds plus de
moi !

Elle se leva.

— Volontiers. Je ne veux pas demeurer assise
un instant de plus aux côtés de cette femme !

Elle tendit la tête en avant. Ses yeux lançaient
des éclairs.

— Et pourquoi vous, mademoiselle Mountjoy,
ne partiriez pas ? Laissez-nous donc tous les deux
tenter de réparer les dégâts que vous avez causés
dans cette maison à force de fouiner partout. Allez
donc épouser Abel Wilks, le meunier ! Vous seriez
une femme parfaite pour lui, j'en suis persuadée !

Là-dessus, elle quitta la pièce. Je pris mon
visage entre mes mains, épuisée par cette scène horrible. Je n'osais pas regarder Henry, car après les
déclarations furieuses de Celia, les choses n'étaient
plus tout à fait semblables entre nous.

Elle avait réussi à semer le doute dans mon
cœur... C'était après avoir appris qui j'étais en

réalité qu'il m'avait demandée en mariage. J'étais alors persuadée que s'il voulait m'épouser, c'était parce qu'il m'aimait. Et maintenant, j'en étais moins sûre. Il était magistrat, il connaissait les lois. Moi je ne savais rien... Rien d'autre que ce que me dictait mon cœur.

— Ne vous sentez pas atteinte par les propos de Celia Hepton ! dit Henry d'un ton rassurant.

Lui-même paraissait toujours furieux. Etait-ce parce qu'elle m'avait humiliée, ou bien parce qu'elle avait dit des vérités qui le gênaient ?

— Je ne pensais pas qu'elle pouvait se montrer aussi haineuse et vindicative, soupira-t-il. Elle a été tellement charmante lors de mon arrivée au château...

— Elle a été charmante jusqu'à ce que je fasse mon apparition ici, déclarai-je lentement. Elle m'a toujours manifesté de la jalousie et de l'hostilité. J'avais deviné qu'elle souhaitait vous épouser...

— Je m'en doutais également, dit le Jeune Châtelain en serrant les mâchoires. Mais je pensais qu'elle aurait assez de bon sens pour en arriver elle-même à la conclusion qu'elle ne pouvait vivre indéfiniment au château ! Elle n'est pas sans argent et peut aller s'installer auprès de sa tante à Londres.

— Je suppose que c'est ce qu'elle va faire maintenant...

— De toute façon, il est hors de question qu'elle reste ici un jour de plus, après un pareil esclandre ! Je suis heureux que les domestiques ne l'aient pas entendue ! Et, grâce au ciel, Dorothy n'était pas à table ce soir !

Il me sourit.

— Et si tout en commençant à manger, nous parlions de nos projets d'avenir, Clara ?

Je me sentais trop mal à l'aise après l'éclat de Celia pour bavarder d'une manière détendue. Une nausée me secoua et je repoussai mon assiette.

— Voulez-vous m'excuser, Henry ? Je ne me sens pas très bien... Je voudrais regagner ma chambre.

— Mais bien sûr, Clara, dit-il en se levant. Je comprends que vous soyez troublée par l'éclat insensé de cette femme !

Je me forçai à lui sourire en lui souhaitant une bonne nuit. Nous ne nous embrassâmes pas et je regagnai ma chambre, luttant contre mes larmes.

Henry Tregarth m'aimait-il pour moi-même, ou bien parce que les hommes de loi, qui avaient mon dossier entre les mains, allaient bientôt me donner des papiers d'identité au nom de Clara Tregarth, fille d'Anthony Tregarth et de sa femme née Françoise Darcy, petite-filles de Lionel Tregarth, le Vieux Châtelain, et seule héritière du domaine d'Abinger Hall...

CHAPITRE XII

Le lendemain, la pluie avait cessé. Le ciel était encore gris, mais un grand vent chassait les nuages.

— Allons-nous enfin pouvoir sortir, mademoiselle ? demanda Dorothy.

— Oui, nous allons faire une courte promenade à cheval dans la grande allée. Nous ne pourrons pas aller nous promener dans la campagne car tout est encore trop humide...

Nous fîmes plusieurs aller et retour dans la grande allée qui menait de la grille au château, et cet exercice nous fit autant de bien à l'une qu'à l'autre.

Il se remit à pleuvoir un peu en fin de matinée, et quand, après le déjeuner Dorothy demanda à sortir, je secouai négativement la tête.

— Je n'ai aucune envie de m'enfoncer dans la boue, Dorothy !

— Puis-je sortir seule, mademoiselle ?

J'avais moi-même besoin d'un peu de solitude afin de réfléchir au nouvel aspect du problème qui s'était révélé à moi, après le discours haineux de

Celia Hepton. Mais d'autre part, je ne jugeais pas très raisonnable de laisser Dorothy jouer autour du château, alors que la terre était détrempée.

— Et si vous jouiiez avec votre poupée ? Avez-vous vraiment envie d'aller dehors par ce vilain temps ?

— Je pourrai aller chercher Barrie à l'écurie, où nous lui avons installé une niche confortable, et l'emmener promener avec moi ?

— Très bien, fis-je enfin. Emmenez Barrie marcher autour de l'écurie et du château, mais ne vous éloignez pas surtout. Et ne restez pas trop longtemps dehors, Dorothy !

Je tentai de réfléchir mais je dus m'assoupir très vite, car j'avais passé une nuit blanche à tourner et à retourner dans ma tête tous les problèmes nouveaux...

Quand j'ouvris les yeux dans un sursaut, je m'aperçus que Dorothy était absente depuis près de deux heures.

Je ne pensais pas qu'elle allait demeurer à l'extérieur plus d'une demi-heure, et vaguement inquiète, après avoir jeté un châle sur mes épaules, je courus aux écuries.

William m'expliqua que Dorothy était partie en compagnie de Barrie et qu'il ne l'avait pas revue depuis.

— Pouvez-vous m'aider à la chercher ? demandai-je.

William envoya plusieurs garçons d'écurie dans différentes directions, tandis que je me rendais à la cuisine où Dorothy avait la mauvaise habitude de passer des heures à écouter les bavardages des domestiques. Mais ceux-ci m'apprirent qu'elle ne s'y était pas montrée.

Moins d'une heure plus tard, les garçons d'écurie, les jardiniers et tous les serviteurs battaient vainement le parc en tous sens en l'appelant...

La panique me gagnait. Qu'allait dire Henry quand, à son retour de Chollerford où il siégeait au Tribunal, il apprendrait que sa fille avait disparu ?

Pour une fois, je ne l'avais pas accompagnée en promenade... J'étais terriblement punie !

J'essuyai mes yeux, puis j'étreignis la pierre glacée du perron, scrutant les buissons, comme si je m'attendais à en voir surgir Dorothy d'un instant à l'autre.

Celia Hepton, après avoir claqué bruyamment la porte d'entrée, s'approcha de moi.

— J'apprends que Dorothy est introuvable...

Il y avait de la bienveillance et de la compréhension dans sa voix, ce qui m'étonna... Peut-être regrettait-elle son comportement de la veille ?

— Elle a emmené mon chien en promenade, voilà déjà trois heures de cela. Depuis, nul ne l'a revue...

— Avez-vous cherché à l'intérieur du château ?

— Non, je n'y ai pas pensé, dis-je avec surprise. Je... je ne crois pas qu'elle soit rentrée !

— Qui sait ? Je me souviens qu'elle s'était cachée une fois derrière le piano qui se trouve dans mon salon. Nous l'avions cherchée pendant des heures !

— Croyez-vous qu'elle se soit cachée pour me donner du souci ? m'étonnai-je.

— Elle l'a déjà fait une fois, rappela Celia Hepton. Elle devait trouver très drôle de nous entendre l'appeler sur tous les tons...

— Il aurait fallu la gronder sévèrement pour l'empêcher de recommencer ! dis-je sèchement.

Celia eut un léger sourire.

— Je vous avoue que j'étais tellement contente de la retrouver que je n'ai pas songé à la punir ! Au contraire...

Elle avait probablement raison : Dorothy devait se trouver cachée dans un endroit d'où elle pouvait suivre toutes nos recherches et en rire !

— Allons d'abord visiter mes appartements ! décida Celia qui semblait vouloir prendre la direction des opérations. Si elle s'y est dissimulée une fois, il est bien possible qu'elle y soit à nouveau ! Venez-vous avec moi, mademoiselle Mountjoy ?

Je ne me fis pas répéter cette invitation et la suivis dans son joli salon dont nous visitâmes tous les recoins.

— Je connais le château par cœur, déclara soudain Celia. Etant enfant, je fouinais partout et Dorothy semble avoir le même goût que moi pour les passages secrets et les corridors perdus...

Elle se frappa le front.

— Mais, j'y pense ! Elle s'est peut-être réfugiée dans cette cave...

— Quelle cave ? demandai-je.

Sans me répondre, elle tira un lourd tapis et découvrit une trappe aménagée dans le parquet.

— Il y a plusieurs accès à cette cave secrète, dont celui-ci.

Elle n'eut pas de difficultés à lever la trappe. Une volée de marches poussiéreuses s'enfonçait dans l'obscurité, et une odeur d'humidité me saisit à la gorge.

— Prenez une bougie ! suggéra Celia en me tendant un chandelier. Prenez cette bougie et descendez ! Appelez-la ! Si elle se trouve là-dessous elle vous répondra !

Sans grand enthousiasme, je me mis à descendre l'étroit escalier. La flamme de la bougie vacillait dans un violent courant d'air et je ne me sentais pas tellement rassurée...

— Dorothy ! appelai-je, essayant de scruter les profondeurs de la cave. Dorothy, êtes-vous là ?

Ma bougie faillit s'éteindre dans un brusque appel d'air. Une fraction de seconde plus tard, la trappe claquait au-dessus de ma tête, me faisant prisonnière de cette cave humide dont l'odeur de moisi me rappelait celle de la Chambre Bleue...

— Celia Hepton ! hurlai-je. Ouvrez-moi ! Laissez-moi sortir !

Etreignant le bougeoir d'une main, je tambourinai violemment la trappe. Puis, m'arcboutant de toutes mes forces, je tentai de la pousser. En vain...

La panique commença à m'envahir. Comment avais-je pu faire confiance à cette femme ? J'aurais dû deviner que sa haine pour moi était implacable, et que la disparition de Dorothy ne modifiait en rien ses sentiments à mon égard !

Je me trouvais enfermée dans cette cave. Sans

que nul sache où je me trouvais... à l'exception de Celia.

Longtemps, je demeurai près de la trappe, criant, appelant, suppliant, et martelant l'épais panneau de bois de mes poings devenus douloureux à force de frapper...

Quand je réalisai que Celia n'avait aucune intention d'ouvrir, je décidai d'explorer ma prison afin de découvrir s'il y avait une autre issue.

Pas trop rassurée, je descendis l'escalier. Une fois arrivée en bas des marches, je levai ma bougie très haut et constatai que je ne me trouvais pas dans une cave, mais dans un souterrain creusé dans le roc.

— Dorothy ! appelai-je de nouveau.

Ma voix résonnait étrangement. Ma petite élève ne se trouvait certainement pas dans ce souterrain sombre, elle qui craignait tant l'obscurité et refusait de s'endormir sans veilleuse !

Où allait ce souterrain ? Je n'avais pas d'autre solution que de l'emprunter, en dépit de ma crainte, car Celia restait sourde à mes appels...

J'eus l'impression de marcher assez longtemps, mais, étant donné que je n'avais pas de montre, et que chaque instant qui passait me paraissait une éternité, il m'était en réalité très difficile d'évaluer le temps.

J'arrivai enfin au bout du souterrain. Il était fermé par une porte de fer contre laquelle je tambourinai de mes poings fermés en hurlant... Sans résultat.

Je fis demi-tour. Celia avait peut-être jugé que cette mauvaise plaisanterie avait assez duré !

Hélas, la trappe était toujours close, et nul ne répondit à mes appels. Je redescendis au bas des marches et m'assis, la tête entre les mains.

Qu'allait dire Henry à son retour, lorsqu'il découvrirait que sa fille et la gouvernante de celle-ci étaient introuvables ? Allais-je périr dans cet horrible tunnel ? Car Celia Hepton ne lui avouerait certainement jamais où j'étais : ma disparition l'arrangeait trop !

Je remarquai alors qu'une voie plus étroite s'enfonçait de l'autre côté, mais le sol était couvert d'éboulis et je n'osai pas m'y engager.

Je tentai de réfléchir et me souvins que Dorothy m'avait dit qu'elle avait vu une porte au fond de la carrière... Une porte dissimulée par des pierres. Il était bien probable que ce souterrain conduisait d'une part à la carrière, mais de l'autre ?

Sous terre, j'avais perdu complètement mon sens de l'orientation...

Je voulus repartir en direction de la porte quand, brusquement, j'aperçus la lumière du jour. Mon cœur se mit à battre plus fort, plein d'espoir : mon cauchemar était-il donc terminé ?

Au même moment, j'entendis un bruit clair, presque un murmure...

Soudain, je poussai un hurlement affolé. La flamme de ma bougie se reflétait sur le sol ! Je marchais dans l'eau... Ce bruit de cascade qui m'avait intriguée, c'était l'eau qui montait dans le souterrain !

Une vague de terreur s'empara de moi et en courant, je regagnai l'abri des marches.

Je savais d'où venait le tunnel et où il allait ! Il reliait la carrière à la rivière, où Dorothy et moi avions par un bel après-midi de printemps remarqué une étrange porte rouillée.

Assise dans l'escalier, je surveillais avec angoisse les premières marches, en me demandant à quel moment l'eau les atteindrait.

Je savais maintenant que ce n'était pas pour me faire une farce de mauvais goût que Celia Hepton m'avait enfermée ici. Elle connaissait le château dans ses moindres détails, et si la porte de fer isolant le tunnel de la Sedge se trouvait close une demi-heure plus tôt, qui pouvait l'avoir ouverte sinon elle ?

Maintenant, l'eau arrivait, avec d'étranges remous inquiétants. Ce bruit qui, lorsque je l'avais entendu la première fois, sans me douter de ce qu'il représentait, m'avait paru presque agréable, éveillait désormais en moi des échos sinistres, affolés.

L'eau allait-elle envahir complètement le tunnel ? Allais-je périr dans ce souterrain obscur ?

Un rat fila auprès de moi, m'effleurant la main de son pelage trempé. J'eus un sursaut horrifié mais ne trouvai même plus la force de crier...

L'eau clapota au bout de mes chaussures. Je gravis l'escalier et m'accroupis sur les marches les plus hautes. Combien de temps me restait-il à vivre ?

Mille pensées me traversaient l'esprit. Avait-on retrouvé Dorothy ? Henry était-il rentré de Chollerford ? Et, surtout, comment Celia Hepton avait-elle pu agir d'une manière aussi déterminée ? Elle avait projeté de me tuer, et allait certainement y parvenir, car l'eau montait doucement, couvrant une marche après l'autre.

Il ne fallait surtout pas que je perde conscience... Si je m'évanouissais, j'étais perdue ! Ma seule chance de survie résidait dans mon calme. Mais comment rester calme dans un semblable cauchemar ?

Je me rappelai la prophétie de Mollie. La Sedge voulait trois âmes cette année, avait-elle dit. Il y avait déjà eu deux noyades, et la troisième... La troisième serait la mienne, car il n'y avait plus que sept marches hors de l'eau.

Plus que six, maintenant... Je croyais que j'étais devenue aphone, à force d'avoir hurlé et hurlé, mais en voyant l'eau clapoter plus haut, j'eus un cri d'épouvante.

L'eau monta encore. Encore... Elle atteignit mes semelles, mes chevilles, mes genoux... Je me recroquevillais sur la dernière marche, le sommet de ma tête frôlant la trappe... Je tremblais si fort que mes dents s'entrechoquaient. Brusquement, je laissai tomber la bougie dont la flamme s'éteignit immédiatement au contact de l'eau.

Alors je pris ma tête entre mes mains et je me mis à sangloter.

J'étais perdue...

Je fermai les yeux quand l'eau encercla ma taille. Elle était glacée... Toutes les images de ma jeunesse heureuse au moulin me traversèrent l'esprit. Oh ! pourquoi n'étais-je pas restée Clara Mountjoy, la fille du meunier ? J'aurais épousé Abel Wilks et une vie sans complications m'aurait apporté des bonheurs simples.

Au lieu de cela, j'étais venue au château, et une foule de catastrophes s'étaient abattue sur moi.

Je revis le moulin et les friselis des roseaux quand un coup de vent les faisait plier vers la Sedge...

J'entendis Barrie aboyer joyeusement en sautant autour de moi. L'illusion devint tellement vivace qu'il me sembla vraiment percevoir, tout près, les aboiements de mon chien.

L'eau arrivait à mes épaules.

Les aboiements se rapprochaient. Soudain, la trappe fut levée au-dessus de ma tête. Une vive lumière m'aveugla, et le visage d'Henry Tregarth, pâle de terreur, se pencha au-dessus de moi.

— Mon Dieu, Clara ! s'exclama-t-il.

Mon chien aboyait toujours tandis que les mains puissantes du Jeune Châtelain m'agrippaient...

Je sombrai dans l'inconscience.

***

Quand j'ouvris les yeux, je m'aperçus que je me trouvais dans le salon. J'étais enveloppée de chaudes couvertures et un grand feu craquait dans la cheminée.

Barrie me léchait les mains, et Henry me considérait avec épouvante et soulagement à la fois.

— Elle revient à elle, monsieur, dit Rosie qui glissa une bouillotte sous mes pieds glacés.

— Clara, murmura Henry. Vous êtes hors de danger, ma chérie...

Il se tourna vers Rosy :

— Allez chercher du thé, ordonna-t-il.

La femme de chambre n'avait pas encore quitté le salon que, déjà, il m'étreignait follement. Ses lèvres se posèrent sur les miennes...

— Ma chérie ! Oh, quel horrible cauchemar... J'ai eu tellement peur ! Si je vous avais perdue, je... je ne sais pas ce que je serais devenu !

Je l'écoutais avec ravissement. Il parlait avec tant de sincérité ! Comment Celia Hepton avait-elle osé suggérer que c'était le château qu'il aimait et non moi, alors que l'amour éclatait dans ses yeux, sur son visage, dans chacun de ses gestes... Comment avais-je jamais pu douter de lui ?

Nous nous accrochâmes l'un à l'autre. Plus rien ne comptait, hormis notre passion.

— Oh ! m'exclamai-je soudain. Et Dorothy ?

— Abel Wilks l'a ramenée dans sa carriole. Figurez-vous qu'elle avait manigancé de se rendre seule au moulin en compagnie de Barrie ! A pied !

Rosy m'apporta un plateau sur lequel elle avait également songé à disposer quelques toasts beurrés.

— Comment m'avez-vous trouvée ? demandai-je.

— Grâce à Barrie. Dès qu'Abel Wilks est arrivé avec Dorothy et votre chien, voyant que vous n'étiez pas avec eux, j'ai commencé à m'inquiéter à votre sujet, et j'ai ordonné à Barrie de vous chercher !

Il caressa la tête de mon bon chien.

— Un chien très intelligent, ce Barrie ! déclara-t-il tendrement. Je n'aime pas tellement que les animaux se prélassent dans les salons, mais Barrie méritera d'y vivre jusqu'à la fin de ses jours ! Ce sera une juste récompense pour vous avoir sauvé la vie et, du même coup, pour m'avoir épargné le désespoir de vous perdre, ma chérie !

Il me sourit.

— Oui, c'est Barrie qui m'a conduit droit dans les appartements de Celia Hepton. Il s'est planté en arrêt devant le tapis recouvrant la trappe, dont j'ignorais d'ailleurs complètement l'existence, et c'est ainsi que j'ai pu venir à votre secours. Juste à temps ! ajouta-t-il avec un frisson.

— Oui, j'allais périr noyée. Par la faute de Celia Hepton !

— Par la faute de Celia Hepton ? répéta-t-il d'un air surpris. Comment cela ?

— C'est elle qui m'a amenée dans ses appartements. Elle m'a dit que Dorothy était probablement sous la trappe... Sans me méfier, j'ai descendu quelques marches, et elle a laissé retomber le lourd panneau de bois ! J'ai exploré le souterrain, qui allait jusqu'à la rivière d'un côté, et de l'autre probablement à la carrière... Puis l'eau a commencé à monter, et je soupçonne Celia Hepton d'avoir ouvert la porte de fer donnant sur la rivière... Où est-elle ?

Il hésita un instant avant de répondre.

— Quand je suis rentré de Chollerford, toute la maison était en alerte, déclara-t-il enfin. Trois personnes manquaient : vous, Dorothy et Celia...

Puis un fermier est venu nous annoncer qu'on venait de retrouver le cadavre d'une femme dans la Sedge... Cette femme a été rapidement identifiée : il s'agissait de Celia Hepton.

— Elle... elle est morte ? m'écriai-je. Je ne puis croire qu'elle se soit précipitée volontairement à l'eau !

— Elle a dû tomber dans la Sedge par accident... Quoiqu'il en soit, ma chérie, tâchez d'oublier tout cela ! Il faut que vous dormiez ! Rosy va vous conduire dans votre chambre et elle s'occupera de Dorothy. Je vais la prier de ne surtout pas parler à l'enfant de la mort de Celia...

Il se pencha au-dessus de moi et m'embrassa légèrement. Ses yeux étaient pleins de passion et d'amour lorsqu'il déclara doucement :

— A tout à l'heure, ma chérie !

**

Les policiers, après enquête, conclurent que Celia Hepton était morte accidentellement. Nous acceptâmes cette version sans protester car il était exact en partie... Et à quoi bon raconter que mademoiselle Hepton avait péri dans une tentative d'assassinat ?

Car nous retrouvâmes auprès de la porte de la rivière un marteau... Il y en avait un autre, ainsi qu'un maillet, dans la barque que Celia avait dû tirer jusqu'à la rivière pour accomplir sa sinistre besogne.

— Oui, tout est clair, dit Henry avec une moue

amère. Jamais je n'aurais pensé que cette femme pouvait en arriver à de telles extrémités !

— Tout est clair à l'exception d'un seul fait, Henry, observai-je. J'ai entendu à plusieurs reprises quelqu'un sangloter dans la Chambre Bleue. Je suis prête à le jurer !

— Je crois avoir percé ce mystère, ma chérie. Les appartements de Celia Hepton n'avaient pas seulement accès au tunnel, mais également aux greniers grâce à un escalier dérobé. Je la soupçonne fort d'être montée dans les mansardes qui se trouvent au-dessus de la Chambre Bleue dans le but de vous effrayer. J'ai remarqué qu'on entend parfaitement les conversations qui sont tenues à l'étage au-dessus lorsqu'on se trouve tout près des cheminées... Elle connaissait probablement ce défaut de construction qu'elle a mis à profit ! Lorsque vous avez déménagé, elle n'a pu continuer ce petit jeu, car il n'y a pas de mansardes au-dessus de la chambre que vous avez occupée ensuite...

Je racontai à Dorothy que Celia Hepton s'était malheureusement noyée dans la Sedge, sans naturellement lui parler du sombre dessein qu'elle avait eu... Elle voulait me faire périr mais le sort s'était retourné contre elle, renversant sa fragile embarcation.

— Si nous annoncions à Dorothy notre intention de nous marier ? demanda ce soir-là le Jeune Châtelain, alors que nous étions assis devant le grand feu de la bibliothèque, main dans la main.

— Maintenant ? m'étonnai-je. Mais elle est

couchée depuis près d'une demi-heure... Elle doit dormir !

— Ne soyons pas toujours trop raisonnables, ma chérie ! dit Henry en m'étreignant doucement.

Dorothy ne dormait pas encore. Barrie, qui avait maintenant accès à toutes les pièces du château, sommeillait au pied de son lit.

— Dorothy, dis-je en l'embrassant. Nous sommes venus vous dire que votre papa et moi avons l'intention de nous marier très prochainement. Aimeriez-vous être demoiselle d'honneur ?

Son petit visage s'illumina.

— Oh ! s'exclama-t-elle. Est-ce vrai, papa ?

— Mais oui, répondit-il en souriant.

Dorothy s'assit sur son lit, et, solennellement, déclara :

— C'était le vœu que j'avais fait le jour de mon anniversaire ! Et vous, mademoiselle, qu'aviez-vous souhaité le jour de votre anniversaire ?

Je me sentis rougir.

— Oui, Clara ! insista Henry. Dites-nous quel était votre vœu...

— Le même que celui de Dorothy ! avouai-je dans un souffle.

Dorothy se tourna vers son père.

— Si c'était votre anniversaire maintenant, papa, que demanderiez-vous ?

Le Jeune Châtelain nous prit toutes deux dans ses bras.

— Je n'ai plus rien à souhaiter ! affirma-t-il.

— Barrie pourra-t-il dormir dans ma chambre tous les soirs ? demanda soudain Dorothy en caressant la tête de mon brave chien qui s'était approché pour avoir sa part de tendresse.

— Oui, Dorothy, affirma Henry. Barrie fait partie de la famille, il l'a bien mérité !

Il me serra un peu plus fort contre lui, et à ce moment-là, je sus qu'on ne pourrait plus jamais dire que les Tregarth étaient malchanceux.

FIN

Achevé d'imprimer
le 9 janvier 1980
sur les presses
de l'imprimerie Cino del Duca,
18, rue de Folin, à Biarritz.
N° 672.

Dépôt légal n° 401.   1er trimestre 1980.